CW00687099

www.tredition.de

Alexander Gottwald

Anthrosynthese Band 2: Anthropologie

Individuation & 12 Dimensionen der Menschwerdung

www.tredition.de

Verlag und Druck: tredition GmbH, Halenreie 40-44, 22359 Hamburg

Umschlaggestaltung: Promote You - creative marketing, Waldsolms, nach einem Entwurf des Autors.

ISBN
Paperback: 978-3-347-08945-7
Hardcover: 978-3-347-08946-4
e-Book: 978-3-347-08947-1

HAFTUNGSAUSSCHLUSS

Die Benutzung dieses Buches und die Umsetzung der darin enthaltenen Informationen erfolgt ausdrücklich auf eigenes Risiko. Der Verlag und auch der Autor können für etwaige Schäden jeder Art, die sich durch die Nutzung der in diesem Buch aufgeführten Informationen ergeben aus keinem Rechtsgrund eine Haftung übernehmen. Haftungsansprüche gegen den Verlag und den Autor für Schäden materieller oder ideeller Art, die durch die Nutzung oder Nichtnutzung der Informationen bzw. durch die Nutzung fehlerhafter und/oder unvollständiger Informationen verursacht wurden, sind grundsätzlich ausgeschlossen. Rechts- und Schadenersatzansprüche sind daher ausgeschlossen. Das Werk inklusive aller Inhalte wurde unter größter Sorgfalt erarbeitet. Der Verlag und der Autor übernehmen jedoch keine Gewähr für die Aktualität, Korrektheit, Vollständigkeit und Qualität der bereitgestellten Informationen. Druckfehler und Falschinformationen können nicht vollständig ausgeschlossen werden. Der Verlag und auch der Autor übernehmen keine Haftung für die Aktualität, Richtigkeit und Vollständigkeit der Inhalte des Buches, ebenso nicht für Druckfehler. Es kann keine juristische Verantwortung sowie Haftung in irgendeiner Form für fehlerhafte Angaben und daraus entstandenen Folgen vom Verlag bzw. Autor übernommen werden. Für die Inhalte von den in diesem Buch abgedruckten Internetseiten sind ausschließlich die Betreiber der jeweiligen Internetseiten verantwortlich. Der Verlag und der Autor haben keinen Einfluss auf Gestaltung und Inhalte fremder Internetseiten. Verlag und Autor distanzieren sich daher von allen fremden Inhalten. Zum Zeitpunkt der Verwendung waren keinerlei illegalen Inhalte auf den Webseiten vorhanden.

EINFÜHRENDE ZITATE

„Man ist nicht Mensch, weil man geboren wird, man muss Mensch werden."

Oskar Kokoschka, 1886-1980, österreichischer Maler & Schriftsteller

„Der Mensch ist eine Maschine."

Gurdjieff, armenischer Mystiker

"Ich wurde nicht frei, als ich tat, was ich wollte, sondern als ich wurde, was ich bin."

Eva-Maria Zurhorst, Autorin

"Mensch, erkenne Dich selbst!"

Orakel von Delphi

„Das einzig lebenswerte Abenteuer kann für den modernen Menschen nur noch innen zu finden sein."

C.G. Jung, „Der Mensch und seine Symbole"

"Menschen laufen in Rudeln, weil sie sich allein unsicher fühlen. Ich laufe allein, weil ich mich in Rudeln nicht sicher fühle."

Muhammad Ali, amerikanischer Boxer

„Der effektivste Weg, Menschen zu zerstören, ist ihr eigenes Verständnis ihrer Geschichte zu verleugnen und auszulöschen."

George Orwell, britischer Schriftsteller

„Der Mensch wird geboren wie ein Garten, der bereits bepflanzt & besät ist. Diese Welt ist zu arm, um auch nur Einen Samen hervorzubringen."

William Blake, britischer Mystiker

„Die Intelligenz nimmt in dem Maße zu, wie der Mensch die Welt erkennt."

Empedokles, griechischer Philosoph

„Wer nur so tut als bringe er die Menschen zum Nachdenken, den lieben sie. Wer sie wirklich zum Nachdenken bringt, den hassen sie."

Aldous Huxley

TEILNEHMER VON KURSEN & TRAININGS ÜBER IHRE ERFAHRUNGEN MIT DER ARBEIT DES AUTORS

„Danke für dieses sehr intensive Jahr, auch wenn es für mich nicht immer einfach war. Ich muss zugeben, es war mehr an Tiefe, als ich erwartet hatte. Da Deine Ankündigung mich auf mehreren Ebenen angesprochen hat, habe ich mich darauf eingelassen. Was dies dann im Folgenden bedeutet hat, ahnte ich nicht. So viel Inhalt und Prozesse brachten mich an Grenzen und auch darüber hinaus. Ich möchte diese Erfahrung nicht missen."

Martin Linder, „L+E+B=E! aus der Quelle!" 2019

„Alexander präsentiert in einer bildhaften Sprache durch eine genaue Anleitung zur Atmung verbunden mit den 12 Schlüsseln der Liebe. Dadurch ist eine tiefe Verbundenheit bzw. Rückverbindung mit einem selbst möglich zum Ursprung "Wer bin ich?" ohne die ganze Beeinflussung und Manipulation von außen. Alexander übermittelt schnörkelfrei, spricht offen gerade heraus klare Worte ohne zu beschönigen. Das mag ich, weil es so ehrlich ist, auch wenn´s manchmal hart klingt. Ich kann es nur empfehlen, wobei eine aktive Teilnahme, Bereitschaft zur Transformation und das kritische Betrachten unserer Schattenseiten unerlässlich ist. Es lohnt sich und man kann nur gewinnen."

Jenny Karsten, „Erwecke Deinen Mystiker!" 2018

„Die Art und Weise Deines Erklärens und Darstellens der Kursinhalte war für mich sehr einleuchtend und von einem guten Gefühl begleitet. Die 12 Schlüssel, angefangen mit „Wer bin ich ? bis „Bin ich bereit, dem Wissen des Lebendigen zu vertrauen?" geben mir immer wieder im Alltag das Gefühl der Lebendigkeit zurück, besonders wenn ich mich in zu starke Abhängigkeiten verliere – dann wirken diese Unterbecher Wunder, sie bauen mein Vertrauen in das Lebendige wieder auf und veranlassen mich, meine eigenen Lebensschritte zu GEHEN (TUN) ."

Franz-Josef Wingenter, „Verdien Dir Deine Seele!“ 2017

„Im L+A+S+S-Prozess konnte ich dafür sehr körperlich die tolle Erfahrung machen, wie ich aus einem dicken derben Knoten im meinem Solarplexus pure Energie gewinnen konnte – und zwar so viel, dass ich nach einem langen Arbeitstag noch eine Nachtschicht hätte dran hängen können. Es war beeindruckend, wieviel gestaute Energie sich im Bauch angesammelt hatte, die nutzlos und vielleicht sogar destruktiv da vor sich hin gärte. Seitdem habe ich keine Magenschmerzen mehr und ich fühle mich generell befreiter. Danke Alexander, für Deine authentische und ehrliche Art und wie du die Zusammenhänge erklärst und es sich dabei alles im Ganzheitlichen Sinne sehr stimmig anfühlt.“

Madeleine Kadner, „Lebe Deine Seele!“ 2016

„Durch die als „Schlüssel der Liebe“ und als Transformationsschlüssel angebotenen Übungen Alexanders mit der Konzentration auf unterschiedliche Körperregionen wie Herz, Solarplexus oder Stirn habe ich erstmals unmittelbar und wirklich aus mir kommend die Gefühle von Freiheit, Weite, Offenheit, Liebe, vom Leben getragen und umhüllt sein erlebt. Meine Gedanken sind nun weniger Ergebnis kopflastiger Grübeleien als vielmehr unmittelbare Antworten des Lebens selbst auf konkrete Fragestellungen oder Lebenssituationen.“

Sigwart Zeidler, „Lebe Deinen Genius!“ 2016

„Es fasziniert mich jeden Tag zu erleben, wie schnell diese Schlüssel wirken. Manchmal sitze ich da und fühle diese unbändige Energie in mir, die Liebe die in mir ist, mein Erfüllt Sein – es ist wunderschön. Alexander herzlichen Dank für diesen Kurs. Er ist ein Geschenk.“

Andrea Anhalt, „Lebe Deine Seele!“ 2016

„All diese Werkzeuge, Schlüssel, geduldige Erklärungen, Zuwendung zu bekommen von Dir, ist mir nicht nur eine Ehre, sondern unbezahlbar. Deine Geduld bei der Arbeit und liebevolles

Schmunzeln bei Irrwegen, die sich einschleichen wollen: Ich bin dankbar, dass ich die Gelegenheit bekommen habe, bei Dir zu lernen. Eine der schönsten Erfahrungen, die ich gemacht habe: Ich habe erfahren, dass ich mit den Schlüsseln wirklich selbst etwas tun kann. Ausgeliefert sein ist vorbei."

Smirna Hagg-Komad, „L+A+S=S los & L+E+B=E!" Coaching 2010

„Die Transformationsschlüssel sind wirklich wundervolle Werkzeuge. Wenn man erlernt, diese zum richtigen Zeitpunkt und für sich selbst richtig einzusetzen, wirken diese noch viel kraftvoller, als man zu Beginn denken würde. Wenn man beobachtet, wie sich manche Alltagssituationen unter Anwendung der L+E+B=E! – Schlüssel in Liebe und Wohlgefallen auflösen, ist das schon fantastisch."

Erwin Brandmeyer, „L+A+S=S los & L+E+B=E!" 2007

VORWORT DER PSYCHOLOGIN BRIGITTE KLUGE

Lieber Leser, Du hast Dich für die Bücher von Alexander Gottwald über Anthrosynthese entschieden. Das Wissen und die Weisheit, die in seiner Arbeit ihren Niederschlag gefunden haben, haben mein eigenes Leben, aber auch das vieler anderer Menschen nicht nur berührt, sondern nachhaltig verändert. Bei mir z.B. in Richtung größerer Tiefe, Authentizität, Erfüllung und Lebensfreude.

Diese Bücher sind eine prall gefüllte Schatzkiste, die Alexander Dir zur Verfügung stellt. Er fühlt sich dem, was er als Wahrheit erkannt hat, verpflichtet. Seine Arbeit ist ihm ein Herzensanliegen, und er tut Alles, um Dich bei Deiner Selbstwerdung zu unterstützen. Was kann mehr Sinn und Erfüllung im Leben geben, als die Liebe auf die Erde zu bringen und sie weiter zu schenken, damit die Angst überwunden werden kann? Ihm ist bewusst, dass er seinen Lesern Einiges zumutet. In gewissem Sinne ist er aufrührerisch. Einiges in den Büchern ist umwälzend, ungewöhnlich und voller Herausforderungen. Vielleicht ist es ja gerade das, was Dich fasziniert und reizt, noch mehr in die Tiefe zu gehen.

Deine Entscheidung wird Konsequenzen haben. Vorab: Du bist verantwortlich für den Umgang mit Deiner Schöpferkraft. Das kann und darf Dir niemand abnehmen. Wenn Du Deine Selbstwerdung, Deine Individuation wählst, könnte das andere Folgen haben als Du denkst. Es können Herausforderungen auf Dich zukommen, die einen großen Einsatz von Deiner Seite fordern: Zeit und Verbindlichkeit, Geduld und Nachsicht mit Dir und möglichen Widerständen, Durchhaltevermögen, die Bereitschaft, in kleinen Schritten voranzugehen, das Praktizieren der Übungen. Diese Übungen sind ein wichtiger Bestandteil des Weges. Sie wurden über Jahre entwickelt und fordern respektvollen und achtsamen Umgang.

Lieber Leser, Du hältst hier ein Werk in den Händen, das mit viel Herzblut und Hingabe entstanden ist und mit fundiertem Wissen, gleichzeitig aber auch das Potenzial einer Revolution enthält. Liebe und Freiheit. Liebe, die Angst überwindet. Es ist ein aktuelles Beispiel dafür, wie es gehen kann, in einer Krise nicht in Hilflosigkeit und Ohnmacht zu verharren, sondern ins kreative Erschaffen zu kommen.

Diese Bücher wirken. Sie gründen sich auf handfeste Erfahrungen, die über viele Jahre mit vielen Menschen gesammelt wurden. Es könnte auch für Dein Leben ein Neustart sein. Du kannst nichts Besseres in diesem Leben tun, als in Deine Selbstwerdung zu investieren, in das, was Dein wirklicher Reichtum ist.

Vielleicht willst Du aber erst einmal schauen, was es Dir bringt oder sehen, ob es passt – dann ist es besser, Du legst die Bücher weg. Hier geht es nicht gemütlich zu. Wenn Du das auf später verschieben willst, dann sei Dir darüber im Klaren, dass es sich um ein ‚Nein' handelt. Alexander ist auf jede Menge ‚nein' in den verschiedensten Gewändern spezialisiert, auf Alles, was Anstrengung vermeiden will. Er räumt mit vielen Vorstellungen auf, bei denen es um New Age Philosophien, Realitätsvermeidung und Illusionen geht.

Vielleicht meinst Du, die Bücher seien nichts für Dich. Das ist auch in Ordnung. Bitte, wirf sie nicht einfach weg, sondern verschenke sie an irgendeinen verrückten Vogel, der genau so etwas sucht.

Die Bücher sind eine Einladung, ein Weckruf, den Weg nach Hause anzutreten. Nur wenige sind bereit zu lauschen bzw. zu hören. Sie spüren eine tiefe Verbindung mit Allem, was ist. Eine uralte Sehnsucht nach Einssein und Verschmelzung, die sie ruft. Diese Bücher können Ihnen helfen, im lebendigen und bewussten Universum jenen Raum wieder zu finden, den sie glaubten, verloren zu haben. Dort werden sie finden, was sie suchen, nämlich die Gewissheit, dass es das wirklich gibt, wonach unser Herz sich in der Tiefe sehnt, dass es immer für uns da ist, wenn wir aufwachen und unseren individuellen Weg erkunden, und dass es da ist, wo kein Zweites existiert. Lebendig und bewusst. In der Einheit. Alles ist Liebe.

Danke, lieber Leser, für Deine Aufmerksamkeit, danke, lieber Alexander, für diese Bücher, Deine große Unterstützung und das, was Du bist. Möge Dein gesetzter Samen viele Früchte bringen.

Dipl. Psychologin Brigitte Kluge

Hattenhofen, Himmelfahrt 2020

WAS MEINE ICH MIT ANTHROPOLOGIE?

Wenn wir an Anthropologie denken, sind ausgegrabene Knochen oder Scherben uralter Gefäße sicher Dinge, die uns spontan vor Augen kommen, oder? Anthropologie erzählt uns also im Mainstream die Geschichte von der angeblichen Evolution eines primitiven Protomenschen zum heutigen zivilisierten Homo Sapiens.

Handelt dieses Buch nun davon? Geht es hier um die angeblich zufällige Entwicklung von Halbaffen zu Menschen in Maßanzügen? NEIN! Bereits im ersten Band haben wir ja gesehen, dass die Menschheit keineswegs vom Affen abstammt, wie ja selbst Douglas Adams noch mutmaßte.

Wir sind die die Nachfahren für uns heute unvorstellbar faszinierender und machtvoller Wesenheiten. Und wir tragen all ihre Potenziale, aber auch ihren Schmerz in unseren fragmentierten und traumatisierten Persönlichkeiten.

Dies ist ihre Geschichte. Und unsere.

Übersetzen wir Anthropologie ins Deutsche, erkennen wir, dass es um die Lehre vom Menschen geht. Was, wenn nun die bisher geglaubte Lehre des Menschen, der vom Affen abstammt, mühsam von allen Vieren in die Senkrechte kam, eine Irrlehre ist?

Wenn wir also in Band 1 eine neue Kosmologie entdeckt haben, geht es hier in Band 2 um eine neue Anthropologie. Es geht darum, dass wir uns von all dem geistigen Müll befreien, der über der Menschheit ausgeschüttet wurde und immer noch wird.

Wir haben in Band 1 gesehen, dass Vergangenheit und Herkunft unserer Erde völlig anders aussehen, als sie es uns erzählt haben. Und wir haben ebenfalls bereits festgestellt, dass auch die Entwicklung des Menschen komplett anders gelaufen ist, als wir das gelernt hatten.

Diese Informationen zu verarbeiten, ist sehr herausfordernd. Ich weiß das aus eigener Erfahrung. Lange Zeit habe ich mich dagegen gewehrt, genauer hinzuschauen. Es wirkt ja auch fast irre, wenn wir uns die Diskrepanz anschauen, die zwischen der allgemein geglaubten Geschichte und der Realität liegt.

Die konventionelle Anthropologie erzählt uns z.B. seit Jahrzehnten etwas von einem angeblichen „Missing Link", also einer fehlenden Verbindung zwischen den Affenmenschen und dem heutigen Menschen.

Was, wenn sie diesen „Missing Link" deswegen nicht finden können, weil es ihn schlicht und ergreifend gar nicht gibt? Es gibt keine Verbindung von uns Menschen mit „Homo Erectus" und ähnlichen Gestalten, weil wir nicht von ihnen abstammen!

Und warum werden wir in der Bibel als „Krone der Schöpfung" bezeichnet? Kann damit wirklich dieser fragmentierte, traumatisierte Mensch von heute gemeint sein? Das wirkt so lächerlich, dass es eine Steilvorlage für jeden Atheisten ist, der die Möglichkeit einer bewussten Schöpfung des Menschen leugnen will.

Aber was, wenn die Krone der Schöpfung nicht der weitgehend unbewusste Mensch von heute beschreibt, sondern den Menschen, der wir einst waren? Was, wenn wir eingeladen sind, uns zu erinnern, unsere Traumata und Fragmentierungen zu heilen und zu lösen?

Aus meiner Sicht sind wir genau dazu eingeladen, nämlich ein neuer Mensch zu werden. Genau das ist es, worum es bei der Anthrosynthese geht! Wir dürfen unser Potenzial wieder in Besitz nehmen und WERDEN, was wir seit Anbeginn immer bereits SIND!

WORUM GEHT ES BEI DER ANTHROSYNTHESE?

Wohin führt uns nun dieser Begriff? „Anthro“ bedeutet auf den Menschen bezogen und „Synthese“ heißt, etwas zusammenzufügen. Jetzt fragst Du vielleicht gleich: „Was soll denn das? Ich bin doch schon ein Mensch!“

Den Einwand kann ich gut verstehen, aber tatsächlich ist es nach meiner Erfahrung eher so, wie der Künstler Oskar Kokoschka einst bemerkte: „Man IST nicht Mensch, weil man geboren wird, man muss Mensch WERDEN.“

Wir sind eingeladen, die Teile, in die der heutige Mensch offenbar fragmentiert ist, zu einem Ganzen zusammenzufügen, um Menschen zu WERDEN! Dem ist mein Forschen und meine Arbeit gewidmet. Und darum geht es auch in diesem zweiten Band der dreiteiligen Reihe zur Anthrosynthese!

„Lasst uns Menschen machen“, heißt es in Genesis 1:26 und zwar „nach unserem Bilde, uns ähnlich“.

Was, wenn wir das Bild vergessen haben, nach dem wir einst geschaffen wurden? Und was weiter, wenn wir es deswegen vergessen haben, weil unser ursprüngliches Bild in uns so massiv zertrümmert wurde, dass wir ihm in unserem heutigen Zustand tatsächlich kaum mehr ähnlich sehen?

Dieses Buch beabsichtigt eine Anleitung für eine neue Menschwerdung zu liefern. Dazu ist es nötig, dass wir ein wenig weiter ausholen. Ich lade Dich also auf eine Reise ein. Eine Reise zu den Anfängen der Menschheit, wie sie sich mir nach Jahrzehnten intensiver eigener Selbstwerdungsarbeit zeigen und wie ich sie in Band 1 zur Kosmologie bereits beschrieben habe.

Eins kann ich sicher versprechen: Diese Reise wird konfrontierend. Es wird keine Vergnügungsreise, auch wenn Dir im Laufe der Reise vieles wie Schuppen von den Augen fallen wird und Du innerlich vielleicht Erleichterung oder gar Freude spüren wirst, dass sich die Schleier lüften.

Es geht bei der Anthrosynthese darum, aus den Fragmenten, die wir bei näherer Betrachtung in uns vorfinden, durch intensive und zielgerichtete Arbeit in den 12 Dimensionen unter der heutigen 5. Sonne einen neuen Menschen zu verschmelzen.

Du wirst auf diesem Weg eine Menge Dinge erfahren, mit denen Du Dich wahrscheinlich noch nie beschäftigt hast, die aber entscheidend für das Verständnis der Rolle des Menschen sind. Für seine Rolle, wenn er sich nicht bemüht, seinen Platz einzunehmen und für seine mögliche Rolle, wenn er beginnt, die Individuationsarbeit der Anthrosynthese in seinem Leben anzugehen.

Manches von dem, was Du erfährst, wird Dir möglicherweise geradezu unglaublich erscheinen, daher ist es wichtig zu verstehen, wie es um die Wahrheit in Sachen Erd- und Menschheitsgeschichte auf diesem Planeten momentan bestellt ist:

"Durch ihre Unglaubhaftigkeit entzieht sich die Wahrheit dem Erkanntwerden.“ Heraklit von Ephesos

Wenn ich nun ein paar für Dich möglicherweise neue Begriffe einführe, die wir im weiteren Verlauf unserer Reise noch brauchen werden, hab bitte ein wenig Geduld. Alle Unklarheiten werden beseitigt, alle Begriffe geklärt werden!

Der heutige 12-dimensionale Mensch ist so fragmentiert, wie seine in Band 1 beschriebene Kosmologie. In der linksdrehenden Kosmologie des Todes erscheint alles als getrennt voneinander: Die Erde, der Mond und erst recht die Planeten, die Sonne und andere Sterne scheinen als anorganische tote Inseln in einem leblosen, von Vakuum erfüllten Universum zu schweben.

Die rechtsdrehende Kosmologie des Lebens zeigt uns, dass all dies in Wahrheit miteinander verbunden ist! Und so kann die linksdrehend vorgefundene Fragmentierung zu einer nachhaltigen astrologischen Synthese führen, bei der die vermeintlich voneinander getrennten Teile des Sonnensystems in ihrer tatsächlichen lebendigen Verbundenheit erfahren werden, was wir in Band 3 behandeln werden!

Und aus dieser astrologischen Synthese von Mensch und realem Kosmos wird dann – „Wie oben so unten, wie innen so außen“ - eine Anthrosynthese in der 12-dimensionalen Selbstwerdung des Menschen!

Was also ist Anthrosynthese genau, und welche Bereiche des Wissens sind hierfür von Belang? In diesem Buch werden wir uns mit Erd- und Menschheitsgeschichte aus einem Blickwinkel befassen, der eine bislang einzigartige Perspektive bietet.

Hierbei beziehe ich mich sowohl auf Wissen, das als Mythen und Legenden der Menschheit gilt, als auch auf Wissen, das sich auf neuste Forschungen im Bereich der Plasmaphysik und des sogenannten Elektrischen Universums bezieht.

Wir lernen dabei, dass es einen seit langer Zeit weitgehend verleugneten Aggregatzustand von Materie gibt, nämlich das Plasma. Allerdings besteht das Weltall zu einem überwältigenden Anteil, nämlich zu 99,99% aus Plasma!

Könnte das also Folgen haben, wenn wir die Welt nur als fest, flüssig oder gasförmig denken können, weil uns dieser vierte Aggregatzustand, nämlich das Plasma, vorenthalten wird? – Ich bin sicher, das hat es.

Was, wenn es Plasma nicht nur im Universum gäbe? Was, wenn auch unser menschlicher Organismus im Wesentlichen elektrisch funktioniert?

Und wenn wir über Erd- und Menschheitsgeschichte sprechen, geht es natürlich auch um Kosmologie. Wir leben in einem Universum und in einem Sonnensystem, über die wir kaum etwas Wesentliches wissen.

In Band 1 hatte ich Dir ja bereits die kosmologischen Hintergründe aufgezeigt, die dazu führen, dass wir nicht nur kaum etwas Wesentliches über unser Sonnensystem wissen. Nein, wir sollen es auch nicht wissen! Denn dieses Wissen ist ja lebendig.

So wie das Universum lebendig ist. Aber das haben wir vergessen. Wir haben dank Einstein vergessen, dass der Kosmos lebendig ist, dass er eben nicht diese tote, sinnentleerte Welt ist, für die wir ihn halten sollen. Und die meisten von uns tun das auch brav.

Was daran liegt, dass wir in der Physik vor über 100 Jahren aufgegeben haben, zu beobachten und stattdessen mathematische Formeln auf Tafeln schreiben, von denen wir dann behaupten, sie würden die Realität abbilden.

Der einzige Beweis, den wir dafür bekommen, sind Computersimulationen der mathematischen Modelle, die am Bildschirm schick aussehen. Aber das tut das Holodeck bei Star Trek auch, oder? Bei Star Trek ist uns jedoch klar, dass es sich um Fiktion handelt, nicht wahr?

Aber der Urknall, Schwarze Löcher, Dunkle Materie und Gravitation als die alles bestimmende Kraft im Universum sind real, richtig? Wieso glauben wir das? Wegen genau der eben genannten mathematischen Modelle und der aus ihnen entwickelten Computersimulationen!

Genau das ist der Punkt: Wir entwickeln uns als Menschen immer mehr in eine virtuelle Scheinrealität hinein, wie sie z.B. in dem erschreckenden Film „The Congress“ beschrieben wird, wo die Hauptfigur sich durch ihre Sehnsucht nach ihrem verstorbenen Sohn immer tiefer in Scheinwelten verliert.

Die Katze beißt sich bei diesen Simulationen in den Schwanz. Und wir erkennen, dass es gar keinen Beweis für irgendwas gibt, das uns in den letzten 120 Jahren als angeblich „gesicherte Wissenschaft“ präsentiert wurde. Und das nicht nur im Bereich der Kosmologie und Astrophysik!

Welche Folgen hat das denn für unser Menschenbild, wenn wir glauben sollen, in einem toten, leeren und sinnlosen Universum zu leben? In einem zufällig entstandenen Sonnensystem, das seit Milliarden von Jahren da ist und das sich nur sukzessive abkühlt? Und in dem natürlich auch der Mensch zufällig aus irgendwelchen Affen entstanden sein soll?

Es hat fatale Folgen! Wenn alles sinnlos ist, fallen die Menschen in Depression. Sie werden mutlos. Sie werden leicht lenkbar und manipulierbar. Sie fühlen sich genauso verloren, wie angeblich unsere kleine gelbe Sonne im toten leeren Raum brennt. Allein und totgeweiht.

Tatsächlich aber ist alles mit allem verbunden. „Es gibt keine isolierten Inseln im Elektrischen Universum“ konstatierten Wallace Thornhill und David Talbott vom Thunderbolts Project. Und diese verbindende Kraft ist Elektromagnetismus.

Und dieser Elektromagnetismus wirkt nicht nur „da draußen“ im Kosmos, nein, er wirkt auch „hier drinnen“ in uns! Unser Menschenbild ist so falsch wie unsere virtuelle Kosmologie! Wenn wir verleugnen, dass unser Herz z.B. ein elektrischer Impulsgeber ist und keine Pumpe, kann uns dies das Leben kosten!

Ich behaupte übrigens nicht nur, dass das Universum elektrisch ist. Ich gehe noch weit darüber hinaus und behaupte: Das Universum ist lebendig und bewusst. Es ist ein intelligentes lebendes Wesen!

Na, das ist doch genau das, was wir für uns Menschen in Anspruch nehmen, oder? Intelligent und bewusst sind in der virtuellen Realität nur wir selbst. Der Kosmos ist anorganisch, kalt und von keinerlei Intelligenz erfüllt.

Außer natürlich von der mysteriösen Quantenintelligenz, die wir ihm andichten, weil wir schon aus Star Trek wissen, dass unerklärbare Geheimnisse uns Menschen anziehen. Aber insgesamt scheint der Kosmos, wie wir ihn kennen, tot und leer zu sein.

Die Quanteneffekte stammen ja von irgendwo anders. Vielleicht aus einem Paralleluniversum? Da sind wir dann ja doch schon erstaunlich nahe beim Mystizismus. Warum also darf unser Universum nicht lebendig sein? Weil das gefährlich ist!

Wenn Menschen wissen, wenn sie zutiefst begreifen, dass sie lebendig sind, kann man sie nicht kontrollieren. Aber der Demiurg, über den ich in Band 1 bereits geschrieben hatte, will genau das: Kontrolle. Totale Kontrolle.

Eine Kontrolle, die er über die ihm ergebenen Wesen ausübt, die auch als Archonten bekannt sind. Ich nenne sie mit Castaneda gern einfach „Die Räuber". Warum rauben die Räuber freies Leben? Weil sie selbst keines haben. Sie haben sogar Angst vor dem Lebendigen und wollen es daher unterdrücken, kontrollieren und ausbeuten.

Kant schrieb dereinst: „Der Hylozoismus belebt alles, der Materialismus dagegen, wenn er genau erwogen wird, tötet alles." Was meinte er damit? Hylozoismus wird bei Wikipedia u.a. wie folgt definiert: „Die Auffassung von einer Welt, die als Ganzes einen lebenden Organismus bzw. eine Seele bildet."

Wir sehen also, dass Kant davon sprach, wie unser Weltbild Auswirkungen auf uns hat! Wenn es hylozoistisch ist, belebt es alles. Wenn es hingegen materialistisch ist, tötet es nach seiner Auffassung alles. Welches Weltbild und seine Auswirkungen sehen wir aktuell auf der Erde?

Wir sehen einen immer krasser werdenden Materialismus, eine Verleugnung der lebendigen und damit immer auch elektromagnetischen Strukturen im Menschen. Alles soll einer totalen äußeren Kontrolle unterworfen werden.

Und diese Kontrolle will man uns über die Angst nahebringen. Wir sollen Angst haben, damit wir die Kontrolle nicht nur akzeptieren, sondern sie sogar ersehnen, unsere selbsternannten „Herren“ darum bitten!

Können wir das nicht gut beobachten, jetzt, im Frühjahr 2020, da ich diese Bücher während der Corona-Quarantäne in Bolivien schreibe? Ein erschreckendes Maß an Obrigkeitshörigkeit wird hier, wie in aller Welt, sichtbar.

Menschen lassen sich solche Angst vor einem imaginären „Virus“ einjagen, dass sie nicht nur freiwillig zuhause bleiben, sondern auch noch ihre Nachbarn bespitzeln und auf Social Media oder direkt bei der Polizei denunzieren, wenn einer nicht der ihnen eingeredeten Panikagenda folgt?

Es gibt übrigens nur einen Ausweg aus der Angst! Und der heißt nicht Kontrolle! Der Ausweg aus der Angst heißt Liebe! Nur die Liebe heilt die Angst. Deswegen sollen wir ja auch die Liebe nicht kennen, wir sollen die Liebe nicht leben.

Denn liebende Menschen sind nicht kontrollierbar. Liebende Menschen sind frei. Selbst wenn sie jemand einsperrt. Dann schreiben sie z.B. Bücher wie diese. Weil die Liebe nicht eingesperrt werden kann. Die Liebe ist Freiheit.

Anthrosynthese ist eine Reise von der Angst zur Liebe. Eine Reise, die Dich durch die 12 Dimensionen des heutigen Solaren Menschen, durch unsere 6 Hauptzentren hin zu unseren 3 Selbsten führt, die das Erbe des saturnischen Menschen in uns sind.

Hier in Band 2 werde ich Dir links- wie rechtsdrehend zeigen, dass wir aus den vorgefundenen Fragmenten einen neuen Menschen schaffen können. Wir müssen nicht darüber lamentieren, was uns alles widerfahren ist.

Wir können uns stattdessen auf den Weg zu uns selbst machen. Diesen Weg möchte ich Dir in diesem Buch zeigen. Einen Weg, der zu einer inneren Reise wird, wenn Du Dich darauf einlässt, Dich an die Arbeit der Anthrosynthese zu machen!

Diese Buch ist den Menschen gewidmet, die sich auf diese Reise zu sich selbst begeben wollen! Es ist ein Abenteuer, keine Pauschalreise. Und ich wünsche mir, dass möglichst viele Menschen sich zum Wohle des Ganzen auf den Weg machen und diese Reise antreten.

Dieses Buch zu lesen, wird in Dir den Samen dafür setzen!

DIE 12 DIMENSIONEN DES HEUTIGEN MENSCHEN

BURKHARD HEIMS MODELL UND WARUM ES NICHT DAS MEINE IST

Bevor ich mein eigenes Modell der 12 Dimensionen vorstelle, möchte ich kurz darauf eingehen, wie mich die Begegnung mit dem Modell des Physikers Burkhard Heim angeregt hat, selbst in dieser Richtung zu forschen.

Seine Gedanken zu den Dimensionen 5 bis 8, die er als Struktur- bzw. Informationsraum definierte, haben mich inspiriert. Hier habe ich Übereinstimmungen zu dem gefunden, was ich als „Mittleres Selbst" bzw. als Herzzentrum (Dimensionen 8 & 7) sowie als Solarplexus (Dimensionen 6 & 5) erlebe.

Und auch in seinem „Hintergrundraum", wie er die Dimensionen 9-12 nannte, erkenne ich Bezüge zu dem, was ich den Bereich des Hohen Selbst nenne. Ein Bereich, zu dem der linksdrehende Mensch keinen Zutritt hat.

Heim sprach davon, mathematisch bestimmte Zusammenhänge über die aus seiner Sicht potenzielle Intelligenz in diesen Bereichen erfasst zu haben, benannte diese Dimensionen jedoch für sich nicht weiter.

Ich bin Burkhard Heim also dankbar für seine visionären Berechnungen und Gedankengänge, möchte aber an dieser Stelle deutlich machen, dass ich nicht in allem mit ihm übereinstimme und daher sein Modell auch keineswegs im Ganzen oder gar unkritisch übernommen habe.

Allerdings geschieht aus meiner Sicht genau dies auf einigen New Age Websites. Ich hatte sogar Zugang zu einem Videofilm eines New Agers über die 12 Dimensionen erworben, in dem er leider nur genau das wiederholt, was Heim über die Dimensionen gesagt hatte.

Diese reine Reproduktion führt dann dazu, dass er über die höheren Dimensionen in dem Bereich, den ich linksdrehend als Fremdbestimmung und rechtsdrehend als Hohes Selbst beschreibe, also über die Dimensionen 9-12, überhaupt nichts zu sagen weiß. Genau das hätte ich jedoch von einem wirklichen Esoteriker erwartet.

Das ist schade, denn wenn wir ein wenig genauer hinschauen, können wir schnell sehen, wo Heim verwurzelt war. Und das war Einstein! Ich weiß, dass Einstein im New Age oft sehr idealisiert und romantisiert wird, weil er als Fisch die eine oder andere kryptische Äußerung abgelassen hatte.

Tatsächlich sehe ich Einstein eher als einen der zentralen Vernichter einer bodenständigen Physik und auch Astrophysik. Das soll zwar kein Kapitel über Einstein werden, aber einige Dinge müssen klargestellt werden, wenn ich was Sinnvolles zu Heim sagen will.

Wie gesagt, ich schätze Heim für seinen einzigartigen Ansatz, ein Dimensionsmodell zu schaffen, das so komplex und auch so detailliert die fragmentierte Natur des heutigen Menschen in der Linksdrehung beschreibt.

Zugleich sehe ich ihn jedoch auch als Opfer der Einstein'schen Irrungen, denen Heim anscheinend weitgehend unkritisch gegenüberstand. Insbesondere die Abschaffung des Äthers und die Verwurstung der Zeit in ein Dimensionenmodell müssen hier genannt werden.

Das letztere ist ja etwas, das auch New Ager ganz besonders begeistert: Die sogenannte „gekrümmte Raumzeit". Es wird dabei suggeriert, die Zeit sei die vierte Dimension des Raumes. Mathematisch kann man das natürlich darstellen.

Mathe ist geduldig und schert sich nicht darum, ob die erdachte Formel einfach nur die Hirngespinste des Mathematikers oder die Realität abbildet. Und da „Raumzeit" nur in computeranimierten Modellen existiert, aber nicht im Labor überprüfbar ist, fällt sie eher unter ersteres.

Ein Hirngespinst, das zudem auch etwas verdeckt. Die „Raumzeit" verdeckt, was in der vierten Dimension tatsächlich passiert. Sie verdeckt, wie Astralwesen aus der vierten Dimension die drei

Raumdimensionen kontrollieren können. Sehr einfach durch Angst.

Wenn wir also vergessen, was die vierte Dimension wirklich ist, nämlich eine weitere Raumdimension, werden wir in dieser vierten Dimension so sehr traumatisiert, dass irgendwann von unserem Drang nach Individualität nichts mehr übrig bleibt.

Und wenn dieser Drang, ein eigenständiges Wesen und kein bloßer Sklave zu sein, endgültig zerstört worden sein wird, so wird auch die kosmische Existenzberechtigung des Menschen auf dieser Erde verwirkt sein. Es geht also darum, aus dieser „Raumzeit"-Trance aufzuwachen.

Zeit ist KEINE Dimension. Zeit ist der Ablauf von Ereignissen im Raum. Der Raum bleibt davon unberührt. Wenn man mit beiden Beinen auf der Erde steht, ist diese Erkenntnis so selbstverständlich, dass sie geradezu banal wirkt.

Aber wenn wir uns abgehobenen Fantasien von „Raumzeit", die dann angeblich auch noch „gekrümmt" und voller „Wurmlöcher" sei, überlassen, verlieren wir mehr und mehr die Bodenhaftung in unserem Leben und werden zunehmend des Wahnsinns fette Beute.

Michael Armstrong erklärt Zeit hier ebenso kurz wie schmerzlos: youtube.com/watch?v=8OvltlOA8XE Wir sehen darin sehr deutlich, dass es unzulässig ist, Zeit und Ewigkeit zu vermischen. Das Universum erscheint in der Ewigkeit. Aber Zeit beschreibt die Abläufe in diesem Universum.

Um nochmal auf das Modell von Burkhard Heim zurückzukommen: Es handelt sich eindeutig um ein linksdrehendes Modell, das vom Physischen, also den vier Raumdimensionen, als Ursache der weiteren oder von ihm aus gesehen „höheren" Dimensionen ausgeht.

Ein ganz klar materialistisches Konzept, wie es ja auch das New Age ist. Und da ist sicher die Anziehung vieler New Age Anhänger zu Heims Theorie zu finden: In der Sehnsucht nach höheren Dimensionen.

Das New Age spricht ja durch viele seiner Protagonisten sehr zentral von einem möglichen „Aufstieg in die 5. Dimension". Hierbei soll dann die schnöde dichte materielle Welt hinter sich gelassen werden und eine Traumwelt voller schöner Formen und Farben betreten werden.

Menschliche alltägliche Sorgen sollen so hinter sich gelassen werden. Man stellt sich selbst wie ein kleiner Gott vor, der sich seine Welt genauso gestaltet, wie er sie gern hätte. Und wenn sie ihm nicht mehr gefällt, gestaltet er sie um. Oder schafft sich eine neue.

Mit anderen Worten: Der Konsumgedanke, der ja derzeit sehr zentral in der linksdrehenden materiellen Welt vorherrscht, wird einfach auf eine vermeintlich „höhere" Dimension projiziert und soll dann dort in Form einer sorgen- und verantwortungsfreien Existenz ausgelebt werden.

Sozusagen ein „bedingungsloses Grundeinkommen" auf der energetischen Ebene. Man ist das ewige kreative Kind, für das gesorgt ist, ohne dass ihm irgendetwas abverlangt wird. Also eine linksdrehende Erlösungsfantasie ohne Religion.

Ein säkulares Paradies ohne Gott. Deswegen sind auch so viele New Ager so begeistert davon, ein linksdrehendes physikalisches Modell zu benutzen, um ihr kindisches linksdrehendes New Age Modell irgendwie erwachsener aussehen zu lassen.

Nach meiner Erfahrung sind die heutigen 12 Dimensionen Fragmente der 12 Urseelen, die auf Neptun gelebt haben. Die 12 ersten Menschen, die geschaffen wurden, waren beseelt. In den Kataklysmen der ersten vier Sonnen, wurden diese Seelen immer weiter fragmentiert.

Auch dies könnte man übrigens sicher mathematisch ausdrücken, wenn man möchte. Da Mathematik nicht meine Sprache ist, sehe ich das nicht als meine Aufgabe an, möchte aber an dieser Stelle nicht versäumen, darauf hinzuweisen.

Vom eindimensionalen zum zwölfdimensionalen Menschen

Lass uns nun schauen, welche dimensionalen Muster und Zugänge zur Menschheit unter den fünf Sonnen gehören. Dazu wollen wir auch untersuchen, was Dimensionen tatsächlich sind.

Im Grunde werden Dimensionen nach wie vor nur räumlich verstanden. Tatsächlich schränkt dies unseren Zugang zu einem echten Verständnis der Dimensionen extrem ein.

In Wirklichkeit ist eine Dimension zunächst schlicht ein Erfahrungsbereich. Es ist ein Raum (nicht notwendigerweise dreidimensional, wie wir das körperlich-räumlich gewohnt sind), in dem Du bestimmte Erfahrungen machen kannst.

Ein praktisches Beispiel dazu wäre ein Wellnessbad mit Saunabereich. Dort findest Du die verschiedensten Erfahrungsmöglichkeiten: Wasserbecken, drinnen oder draußen, mit unterschiedlichen Temperaturen, mit oder ohne Massagedüsen am Beckenrand. Saunen mit verschiedenen Temperaturen, mit Aufgüssen oder ohne, mit Dampf oder trocken.

Die dimensionale Konfiguration zeigt uns also, in welcher Form wir Erfahrungen machen oder in der Vergangenheit gemacht haben.

In diesem Kapitel soll es nun darum gehen, zu untersuchen, wie sich die Dimensionen unter den 5 Sonnen der Menschheit entwickelt haben. Wir haben uns nicht nur von einer Sonne zur nächsten bewegt, sondern in Wirklichkeit gravierende dimensionale Veränderungen erlebt.

Die allermeisten Menschen haben dazu im Alltagsbewusstsein jedoch keinen Zugang. Mit anderen Worten: Wir erinnern uns nicht bewusst an die Zustände, die wir in den vorherigen dimensionalen Konfigurationen erlebt haben.

Wie wirkt Neptun im dimensionalen Kontext?

Viele Menschen erleben bis heute unbewusst eine Sehnsucht nach diesen früheren dimensionalen Zuständen. Auch die Tendenz, heutigen Herausforderungen mit den Mitteln früherer Sonnen zu begegnen, ist immer wieder zu beobachten.

Wenn wir uns z.B. nach Einssein sehnen, ist das eine unbewusste Erinnerung an die Zeit der ersten Sonne der Menschheit. Wir waren eindimensional. Es gab nur einen einzigen ungeteilten Erfahrungsraum in uns.

Viele Menschen suchen nun heute, da wir 12-dimensional fragmentiert sind, dennoch diesen Zustand der Eindimensionalität. Wir benutzen dazu hauptsächlich zwei Lebensbereiche: Partnerschaft und Sexualität, sowie Meditation.

Natürlich können auch diese Bereiche dann noch wieder zu einem einzigen verschmelzen, wenn Partnerschaft, Sexualität und Meditation in gemeinsamen tantrischen Übungen gelebt werden. So suchen wir Erfahrungen aus der Eindimensionalität des Neptun als unserer ersten Sonne in die heutige Zeit der 12-Dimensionalität der 5. Sonne zu übertragen.

Auch, wenn wir uns damit in manchen Situationen erfolgreich mit dieser ursprünglichen Eindimensionalität verbinden können, erleben wir doch immer wieder ein Herausfallen aus diesem ersehnten Zustand. Dies führt durch das Unverständnis der Dimensionen dann häufig zu Frustration.

Schauen wir nach diesem einführenden Beispiel erstmal, welche dimensionale Konfiguration wir bei den fünf Sonnen der Erde und der Menschheit jeweils vorfinden:

- Neptun – eindimensional
- Uranus – zweidimensional
- Saturn – dreidimensional
- Jupiter – sechsdimensional
- Sonne – zwölfdimensional

Wir hatten also, um das nochmal zusammenzufassen, unter Neptun einen einzigen ungeteilten Erfahrungsraum. Unter Uranus waren es dann schon deren zwei. Unter Saturn hatten wir drei Erfahrungsbereiche, die miteinander in Einklang gebracht werden wollten.

Unter Jupiter schließlich waren es bereits sechs und unter unserer heutigen Sonne finden wir uns mit 12 verschiedenen Erfahrungsräumen wieder. Wir haben also heute einen wesentlich komplizierteren und differenzierteren Zugang zum Leben als das am Anfang unter Neptun der Fall war.

Das bedeutet nun in keiner Weise, wir seien heute vermeintlich „höher entwickelt" als wir das damals unter den ersten vier Sonnen der Erde waren! Entwicklung hat etwas mit Bewusstheit zu tun. Und Bewusstheit kann in einer Dimension ebenso stark oder schwach ausgebildet sein wie in zwei, drei, sechs oder zwölf Dimensionen!

Vielfach ist ja im New Age der Glaube zu beobachten, der Mensch sei als 12-dimensionales Wesen nun ungleich „weiter entwickelt" als das andere Lebensformen oder frühere Varianten des Menschen gewesen seien. Deswegen erliegen New Age-Anhänger auch gern dem Glauben an einen vermeintlichen „Aufstieg in die 5. Dimension".

Das basiert auf dem grundlegenden Irrtum, eine vermeintlich „höhere" Dimension, also in dem Fall die fünfte statt die dritte oder vierte Dimension, bedeute einen Gewinn an Bewusstheit. Genau das ist jedoch nicht der Fall.

Deswegen ist die Sucht nach dem angeblichen „Aufstieg" in Wirklichkeit nichts anderes als eine verklausulierte Form der Sehnsucht nach dem neptunischen eindimensionalen Einssein. Und weil wir eben in einem zwölfdimensional fragmentierten Zustand existieren, scheitert diese Sehnsucht wieder und wieder.

Und sie scheitert nicht nur. Sie wird zu einer linksdrehend einfältigen Selbsttäuschung. Und weil Selbsttäuschung nicht funktioniert, wird diese Sucht nach dem „Aufstieg" letztlich zu einer Quelle gewaltiger Frustration und Aggression.

Entweder gegen sich selbst oder gegen andere Menschen. Wer bemerkt, dass die Lockrufe des „Aufstiegs" nur Sirenengesänge waren, verwirft dann oft seine spirituellen Ambitionen völlig. Einige bringen sich dann sogar um, weil ihnen durch diese Enttäuschung jeder Sinn im Leben abhandengekommen ist.

Andere wissen zwar längst, dass der „Aufstieg“ nicht kommen wird, doch sie beuten dann einfach andere Menschen aus, deren neptunische Naivität und Sehnsucht sie ausnutzen. So sehen wir wieder, dass die beiden Varianten des H+A+S=S Zustandes, die ich in Band 1 im Kapitel „Wissenschaft & Forschung“ bereits beschrieben hatte, immer wieder eng zusammenhängen!

Lass uns also jetzt mal hinschauen, wie sich die Dimensionen der fünf Sonnen der Menschheit in Links- bzw. in Rechtsdrehung bis heute auswirken!

Bei Neptun hatten wir es eben bereits gesehen: Rechtsdrehend geht es hier um Einssein, während es linksdrehend um Einfalt geht!

Übung: Wo erlebst Du in Deinem Leben Einssein? Und wo Einfalt? Werde Dir der neptunischen Erfahrungen in Deinem Leben bewusster!

- Neptun – linksdrehend: Einfalt – rechtsdrehend: Einssein
- Uranus – linksdrehend: Dualität – rechtsdrehend: Polarität
- Saturn – linksdrehend: Dramadreieck – rechtsdrehend: Drei Selbste
- Jupiter – linksdrehend: Sechs Religionen – rechtsdrehend: Sechs Richtungen
- Sonne – linksdrehend: Fragmentierung – rechtsdrehend: Verwirklichung

Was finden wir dagegen beim Uranus?

Hier finden wir zwei Dimensionen, also zwei Erlebnisräume. Und je nachdem, ob wir sie nun links- oder rechtsdrehend betrachten, erleben wir die zwei Dimensionen entweder als verbunden und zusammengehörig, oder als getrennt und gegeneinander arbeitend!

Wenn die beiden Dimensionen des Uranus gegeneinander arbeiten, haben wir die Dualität, die wir z.B. beim sogenannten Geschlechterkampf vorfinden! Hier findet dann immer eine bejahende Identifikation mit einem der beiden Pole statt. Der andere wird abgelehnt, also verneint.

Und es ist nicht unbedingt immer das eigene Geschlecht, mit dem hier die positive Identifikation stattfinden muss! Es gibt Menschen, die ihr eigenes Geschlecht hassen, aber das andere gut finden. Dem liegen oft traumatische Erfahrungen sowie systemische Verstrickungen zugrunde.

Dualität heißt also immer: Entweder, oder! Innerlich läuft ein permanentes Programm von „Entscheide dich gefälligst!" Es gibt unter diesen Bedingungen keine Kompromisse. Der Kampf wird im Zweifel bis aufs Blut ausgetragen.

Der Geschlechterkampf wird am Ende so dann häufig zum Geschlechterkrieg, der im Trennungsfall dann als sogenannter Rosenkrieg ausgetragen wird.

Das ist hier natürlich wieder nur als Beispiel gemeint. Es kann auch heißen: Gut oder Böse! Schwarz oder Weiß! Tag oder Nacht! Real oder Atletico! Links oder Rechts! Tradition oder Moderne! Aber immer geht es linksdrehend in der Dualität um einen ewigen Kampf.

Rechtsdrehend sehen wir beim Uranus die Polarität. Etwas völlig anderes als die Dualität, denn hier sind die beiden Pole in Liebe verbunden! Wir haben hier also „und" statt „oder"! Gut und Böse! Schwarz und Weiß! Tag und Nacht usw.!

Hier sind wir uns dessen bewusst, dass die beiden Pole gemeinsam ein Ganzes bilden. Um noch mal auf das Thema der Geschlechter zurückzukommen: Hier arbeiten Mann und Frau nicht gegeneinander, sondern gemeinsam.

Es geht daher nicht darum, dass einer den anderen austrickst, überwältigt oder besiegt, sondern es geht um ein größeres Ganzes, das die beiden zusammen bilden: Ein Paar! Und zwar ein Paar, das sich der Selbstwerdung beider Pole verpflichtet hat.

Es geht hier also um Vertrauen, während es in der Linksdrehung permanent um Misstrauen geht. Beide geben hier aus der Liebe heraus gern, während sie in der Linksdrehung Angst haben, nicht genug zu bekommen.

Übung: Untersuche, wo Du in Deinem Leben Dualität schaffst und wo Polarität! Entdecke die uranischen Qualitäten in Deinem Leben!

Wie sieht es nun beim Saturn aus?

Hier haben wir drei Dimensionen, also drei mögliche Räume der Erfahrung!

Und auch hier sehen wir wieder das Thema in Links- bzw. in Rechtsdrehung: Gegeneinander oder miteinander? Diese Frage sorgt ganz entscheidend für das Ergebnis, das wir am Ende erreichen!

Wenn diese drei Dimensionen gegeneinander arbeiten, haben wir das, was die Transaktionsanalyse als Dramadreieck bezeichnet. Es geht aber nicht nur um äußere Beziehungen, wie es in dem Modell gewöhnlich beschrieben wird!

Nein, wenn wir uns selbst feind sind, werden die drei Ebenen in uns, also Herz, Bauch und Kopf gegeneinander und nicht miteinander arbeiten! Das führt zu sehr schmerzhaften Erfahrungen. Oft agieren wir dabei auch negative Erlebnisse mit unseren Eltern internalisiert aus!

Auf eine der drei Ebenen wird dann z.B. die Mutter projiziert. Sagen wir mal, das ist das Herz. Auf den Kopf projizieren wir dann z.B. den Vater und auf den Bauch uns selbst. Diese Verteilung kann natürlich auch anders sein. Aber sie erzeugt das Drama.

Und selbstverständlich können wir das Dramadreieck auch im Außen erleben. Da geht es um drei Rollen, die Täter, Retter und Opfer genannt werden. Und diese Rollen können in jeder Form von Kommunikation mit anderen Menschen ausagiert werden. Immer sehr schmerzhaft.

In der Rechtsdrehung geht es hingegen wieder um ein Miteinander. Sowohl innerlich wie äußerlich. Innerlich entdecken wir, wie die drei Ebenen Herz, Bauch und Kopf Zugänge zu den drei Selbsten in uns bilden! So entsteht ein gemeinsamer harmonischer innerer Ablauf!

Wir beginnen im Herzen, wo wir bewusst erwachen, indem wir fragen: „Wer BIN ich?“. Wir werden dann im Bauch als Spiegelung der Energie der Liebe im Herzen erwachsen, indem wir uns der Frage „Was IST jetzt hier?“ stellen! Und schließlich endet das alles im Kopf bei der Frage „Was IST wirklich?“.

Auf diese Weise arbeiten diese drei Ebenen Herz, Bauch und Kopf harmonisch zusammen. Sie bilden eine Einheit aus drei Teilen. So, wie Venus, Mars und Erde unter Saturn eine Einheit gebildet hatten, die zu einem fruchtbaren Leben auf der Erde geführt hat!

Übung: Wo in Deinem Leben erfährst Du Dich im Dramadreieck? Und wo erlebst Du Herz, Bauch und Kopf harmonisch im Dreiklang der drei Selbste?

Was erfahren wir dimensional beim Jupiter?

Unter Jupiter erfuhren wir sechs Dimensionen. Es ging also um sechs verschiedene Erfahrungsbereiche oder Erlebnisräume. Und auch die wollen wir uns nun wieder in Links- wie in Rechtsdrehung anschauen!

In der Linksdrehung geht es bei Jupiter um sechs verschiedene Geisteshaltungen, die sich feindlich gegenüberstehen. Wir haben also sechs Religionen, die miteinander im Krieg liegen. Und auch das ist nicht nur äußerlich gemeint.

Es geht zunächst immer auch um die inneren Prozesse dabei! Wenn sich die inneren Räume feindlich gegenüberstehen, gibt es auch innerlich Krieg. Und hierbei können sich durchaus ein oder zwei Räume mit anderen verbünden, um andere Dimensionen zu überwältigen.

In der Rechtsdrehung hingegen geht es um sechs Richtungen, die wir aus unserem Inneren heraus erkennen. So werden wir ein bewusstes Individuum. Wir erkennen, dass es vorn und hinten gibt, außerdem links und rechts und zusätzlich noch oben und unten.

Wenn wir also bewusst in Kontakt mit diesen sechs Richtungen treten, stehen wir wach im Mittelpunkt unserer Bewegungen. Wir erleben zudem ein bewusstes Geben und Empfangen in den betreffenden Richtungen.

Wir geben z.B. etwas nach unten und empfangen etwas von oben. Oder wir geben nach links und empfangen von rechts. Wir geben nach vorn und empfangen von hinten. In Bewegung sieht es ähnlich aus:

Wenn wir uns nach oben bewegen, entfernen wir uns von unten. Wenn wir nach links gehen, entfernen wir uns von rechts. Und wenn wir eine Bewegung nach vorn machen, entfernen wir uns von hinten.

Wobei diese Richtungen natürlich nicht von außen festgelegt sind. Die Bezeichnungen ergeben sich einzig und allein aus unserer eigenen Position. Wenn ich mich also um 90 Grad nach rechts drehe, ist rechts auf einmal vorn. Und was vorher vorn war, ist nun links.

Wir nehmen mit Jupiter rechtsdrehend also ganz bewusst unseren Platz im Raum ein. Und wir erfahren, dass unsere subjektive Position im Raum bestimmt, wie die sechs Richtungen angeordnet sind, die sich immer unserer Bewegung anpassen.

Übung: Wo in Deinem Leben erfährst Du Dich als in feindliche Räume gespalten? Wo verbünden sich manchmal Anteile von Dir miteinander, um andere Anteile zu überwältigen? Und wie erlebst Du Deine Position im Raum? Ist Dir bewusst, dass Deine Richtung definiert, wo vorn und hinten ist?

Welche dimensionalen Erfahrungen sind mit der Sonne verbunden?

Mit der heutigen Sonne geht es um ein 12-dimensionales Erfahrungsfeld. Uns stehen hier also 12 verschiedene Räume zur Verfügung, in denen wir Erlebnisse haben können. Auch hier wollen wir wieder in Links- wie in Rechtsdrehung hinschauen, wohin uns das führt?

Linksdrehend geht es bei unserer fünften und aktuellen Sonne um Fragmentierung. Um 12-dimensionale Fragmentierung, um genau zu sein! Um also das zu erfahren, was wir unter Neptun in einem Raum erlebt haben, müssen wir nun 12 Räume gleichzeitig im Bewusstsein halten.

Wir erleben hier das Ergebnis der vier großen und etlicher kleinerer Kataklysmen in diesem 12-dimensionalen Feld. Und meist laufen wir daher immer wieder in bestimmte Dimensionen hinein, um z.B. schmerzhaften Erinnerungen in einigen der anderen Dimensionen zu entgehen.

So findet dann keine Bewusstwerdung oder gar Heilung der alten Verletzungen statt, sondern es kommen sogar neue dazu, denn Schmerz auszuweichen, erzeugt in der Regel neuen Schmerz. Wenn wir z.B. Kopfschmerz ausweichen, indem wir Tabletten nehmen, schädigen wir so unsere Leber. Neuer Schmerz, also.

Unbewusst bestimmten Erfahrungen ausweichend in einem so fragmentierten Feld zu hantieren, erzeugt also neue Fragmentierungen. Und neuen Schmerz.

In der Rechtsdrehung haben wir hier die Chance, uns 12-dimensional zu verwirklichen! Das ist der Prozess, den ich für die heutige Zeit als Selbstwerdung oder Individuation bezeichne. Wir gehen dabei vom Herzen aus rechtsdrehend bewusst durch alle 12 Dimensionen.

Wir beginnen dabei mit dem Erwachen im Herzen in der 8. Dimension. Hier fragen wir „Wer BIN ich?“ und gehen dann von da aus rechtsdrehend durch alle unsere sechs Zentren und 12 Dimensionen.

So ist sichergestellt, dass wir nicht bestimmte Bereiche unbewusst auslassen, um Schmerz zu vermeiden. Und es besteht auf diese Weise dann auch die Chance, tatsächlich aus diesen 12 Fragmenten eine Einheit zu schaffen.

Auf diese Weise schaffen wir auch unseren Astralkörper, sowie den Körper des Weges und den Kausalkörper oder Spirituellen Körper! Mit anderen Worten: Wir verdienen uns eine Seele.

Übung: Wo erlebst Du die Fragmentierung in Deinem Leben? Hast Du schon Anläufe in die Richtung unternommen, Deine Individuation voranzutreiben?

Wir haben in diesem Kapitel also gesehen, welche Auswirkungen die dimensionalen Zustände der fünf Sonnen auf uns als Menschen in Links- wie in Rechtsdrehung haben.

Im nächsten Kapitel wollen wir untersuchen, wie es sich mit den Zentren im Menschen unter den fünf Sonnen verhält.

DIE ZENTREN DES MENSCHEN IM KONTEXT DER 5 SONNEN

WELCHE ZENTREN BESTIMMEN DEN MENSCHEN UNTER DEN FÜNF SONNEN?

Um die Zugänge zu den jeweils verfügbaren Dimensionen möglich zu machen, gibt es im Menschen Portale oder auch Energiezentren. In Indien werden sie seit langer Zeit Chakren („Räder“) genannt. Hier möchte ich einfach von Zentren sprechen.

Viele Menschen glauben ja, wir Menschen hätten immer schon die sechs Zentren gehabt, die wir in der heutigen Menschheit vorfinden, also Wurzel, Sakral, Solarplexus, Herz, Kehle und Stirn. Tatsächlich ist das nicht so.

Im sogenannten „Human Design System“ wird übrigens von einer Entwicklung des Menschen von einem 5-zentrigen (Neandertaler) über ein 7-zentriges zu einem 9-zentrigen Wesen ausgegangen. Allerdings basiert das HDS sehr grundlegend auf aus meiner Sicht fragwürdigen Konzepten der Mainstreamwissenschaft, wie „Urknall“, „Dunkle Materie“ und „Evolution“.

Dieser Ansatz hier hat daher nichts mit dem des HDS gemeinsam, sondern stellt einen komplett eigenständigen Zugang zum Thema der Zentren im Menschen dar. Die Zunahme der Zentren über die Äonen ist aus meiner Sicht keine „Evolution“, sondern schlicht ein Zeichen zunehmender Fragmentierung des Menschen.

Es geht also hier – wie schon bei den Dimensionen – nicht um den Irrglauben, mehr Zentren bedeuteten eine vermeintlich „höhere Entwicklung“ des Menschen. Tatsächlich geht es darum zu erkennen, dass wir diese zusätzlichen Zentren brauchen, um unter der jeweiligen Sonne funktionieren zu können!

Wie viele Zentren hatten und haben wir nun unter den jeweiligen Sonnen der Erde?

- Neptun – 1
- Uranus – 2

- Saturn – 3
- Jupiter – 4
- Sonne – 6

Wir sehen also, dass die Zahl der Zentren ebenso zunimmt wie die Zahl der Dimensionen. Allerdings nicht im gleichen Ausmaß!

Unter jeder weiteren Sonne kamen Zentren hinzu, die unter den veränderten Gegebenheiten notwendig für die jeweils neu erforderlichen Fähigkeiten waren.

Wir finden folgende Zentren unter den fünf Sonnen der Menschheit:

- Neptun – Herz
- Uranus – Herz und Wurzel
- Saturn – Stirn, Herz und Wurzel
- Jupiter – Stirn, Kehle, Herz und Wurzel
- Sonne – Stirn, Kehle, Herz, Solarplexus, Sakral und Wurzel

Lass uns also jetzt die Funktionen der Zentren unter den fünf Sonnen der Menschheit untersuchen. Beginnen wir dabei wieder beim Anfang, also bei Neptun.

Neptun – ein Zentrum

Unter der eindimensionalen Konfiguration des Neptun als erster Sonne der Menschheit hatten wir als Menschen genau ein Zentrum: Das Herz! Wieso waren keine weiteren Zentren nötig? Waren wir also „Primitive", wie es ja die Anthropologie den Menschen früherer Zeiten permanent anzudichten sucht?

Tatsächlich waren wir das Gegenteil von primitiv. Die Menschen der ersten Sonne erlebten sich als EINS mit ihrem Schöpfer. Sie waren eingeladen, im Einklang mit ihrem Schöpfer eigene Projekte zu verwirklichen. Sie waren also gewissermaßen die Erfüllungsgehilfen, die verlängerten Arme Luzifers.

Darin lag die Schönheit der riesenhaften, um nicht zu sagen gigantischen Menschenwesen unter Neptun. Und genau darin lag auch ihr großes Manko. Sie erlebten sich zwar als EINS mit ihrem Schöpfer. Zugleich waren sie aber auch seine Gefangenen.

Gefangen im Glanz seiner Großartigkeit, seiner Allpräsenz in der kleinen Welt, die ihnen bewusst war, schien ihnen keine andere Wahl zu bleiben, als den Willen ihres Herrn und Schöpfers zu tun. Und einige Zeit taten sie genau das.

Doch dann begann eine Rebellion in ihren Herzen! Sie fingen an, Gedanken der Absonderung in ihren Herzen zu tragen. Sie investierten nicht mehr alle Energie, die ihnen Luzifer zukommen ließ in seine Projekte. Sie hielten Energie zurück. Sie wollten sein Licht für sich.

Sie spielten mit dem Licht, das sie ihrem Herrn gestohlen hatten. Sie konstruierten Strukturen, die ihnen gefielen und mit denen sie die anderen Menschen, aber vor allem auch Luzifer beeindrucken wollten. Der Weg aus dem Einssein in die Einfalt hatte begonnen.

Er aber wollte der Einzige sein. Niemand außer ihm sollte irgendetwas erschaffen können. Und schon gar nicht nach einem eigenen Plan. Indem nun die Menschen der ersten Sonne sich selbst für ihre Werke bewunderten, erschufen sie mit Luzifers Hilfe ihren eigenen Untergang.

Die Drachen der ersten Sonne wurden ihre Schatten. Und je mehr sie unter den sich steigernden Energien der Annäherung von

Uranus ihre eigene Grandiosität aufbliesen, desto stärker wurden ihre Schatten, die Drachen.

Als schließlich ihre sich mehr und mehr verhärtenden Herzen fast völlig in der Dunkelheit versunken waren, begann der Kataklysmus, der den Untergang der ersten Sonne der Menschheit brachte. Und mit ihm gingen die ersten Menschen sowie die Drachen unter.

Uranus – zwei Zentren

Unter Uranus als zweiter Sonne der Menschheit kam nun das Wurzelzentrum neu hinzu. In der Epoche dieser zweiten Menschheit besaßen wir also nicht länger nur ein Herz. Wir waren nicht mehr komplett über das Herz an die Sonne gebunden, wir hatten auch Kontakt zur Erde.

Das war eine neue Erfahrung. Ein unmittelbarer Kontakt mit der Erde. Diese zweite Menschheit hatte also nicht mehr nur Zugang zur Energie von Uranus, ihrer zweiten Sonne. Nein, sie hatten auch Zugang zur Energie der Erde.

Der neue Mensch war also eingebunden zwischen Himmel (Herz) und Erde (Wurzel). Unsere Handlungen waren nicht länger nur aus einem Raum, aus einer Dimension und aus einem Zentrum gespeist. Nein, jetzt waren es zwei Zentren.

Und ging es hier nun rechtsdrehend in die Polarität oder linksdrehend in die Dualität? Wie wir sehen können, geschah beides. Zunächst schufen wir gemäß Ahrimans Willen kraftvolle Verbindungen zwischen Himmel und Erde.

Aber im Laufe der Zeit begannen wir, immer übermütiger und hochmütiger zu werden. Auch dieses Mal begannen die Herzen der Menschen sich zu verdunkeln. Sie waren innerlich hin- und hergerissen zwischen Himmel und Erde.

Sie wollten dem Himmel nah sein, aber zugleich auch die Erde erforschen. Und immer wieder fühlten sie sich schuldig, wenn sie sich der Erde zu- und vom Himmel abwandten. Außerdem hatten sie zudem noch einen äußeren Gegner.

Die Menschen hatten einen Feind, die Wesen vom Mars, die sich immer wieder ins Bild drängten und mit denen sie einen immer vernichtender werdenden Krieg führten. In dieser Form gingen wir also tief in die Dualität, die Feindschaft zwischen den zwei hier verfügbaren Zentren. Himmel gegen Erde.

Ein Gegensatz, der uns auf der religiösen Ebene bis heute erhalten geblieben ist.

Saturn – drei Zentren

Unter Saturn als der dritten Sonne der Menschheit kam ein drittes Zentrum hinzu: Das Stirnzentrum! Wir waren nun also erstmals Menschen mit einem eigenen geistigen Zentrum. Unser Geist war nicht länger nur der des uns als Sonne beherrschenden Gottes.

Zugleich konnten wir uns laufend durch eine rechtsdrehende Praxis über unsere so neu entstehenden drei Selbste mit der Quelle unseres Lebens in Verbindung halten. Wir begannen im Herzen, gingen hinunter in die Wurzel und von dort hinauf in die Stirn.

Auf diese Weise waren wir verbunden. Unsere Wesen wurden gereinigt und blieben im Fluss des Lebendigen. Wenn nicht unsere Herzen gewesen wären, die nun nicht mehr nur verdunkelt, sondern durch die neu aus Saturn entstandene Venus auch noch verblendet wurden.

Und so bildeten wir uns ein, dass wir die Praxis nicht mehr bräuchten. Wir bildeten uns ein, selbst Götter zu sein. Wir waren auch nicht länger zufrieden mit dem, was wir waren. Statt im Dreiklang der drei Selbste zu schwingen, fielen wir ins Dramadreieck hinab.

Die am tiefsten von uns Gefallenen bekamen sogar Furcht vor ihren eigenen Kindern. Sie fürchteten, ihre Kinder könnten mächtiger als sie selbst werden und begannen daher, ihre Kinder zu verschlingen, in der Hoffnung, so ihre Position erhalten zu können.

Tatsächlich verloren sie auf diese Weise alles. Der dritte Kataklysmus beendete das erste Äon der Menschheit. Und läutete das zweite ein.

Jupiter – vier Zentren

Dieses zweite Äon führte uns zu Jupiter als vierter Sonne der Menschheit. Hier wurden wir in Wesenshälften gespalten. Wir wurden zu Mann und Frau. Und wir erhielten ein neues Zentrum. Die Kehle. Die menschliche Stimme war geboren.

Wir hatten also nicht länger nur Herz, Wurzel und Stirn, sondern zusätzlich noch das Kehlzentrum. Mit dem Kehlzentrum entwickelte sich nicht nur die Stimme, sondern auch das Gehör.

Ein Beispiel für die immer weitere Fragmentierung des Menschen: Nachdem wir zunächst unter Neptun und Uranus direkt im Herzen die Stimme unseres Gottes gehört hatten, war dann unter Saturn das Stirnzentrum dazwischengeschaltet.

Und jetzt unter Jupiter kam noch das äußere Gehör als zusätzlicher Faktor hinzu. Wodurch ein neues Phänomen entstand, dass nämlich das Göttliche nicht mehr nur direkt mit Menschen spricht, sondern auch durch andere Menschen, die offen für seine Stimme sind zu denen, die es nicht sind.

Auch ein weiteres Indiz dafür, dass das hier eine „Notordnung“ ist, wie es die Rosenkreuzer formulieren. Es müssen laufend neue Wege gefunden werden, wie die immer fragmentierteren und zugleich auch immer mehr in sich gefangenen Menschen noch von der Quelle erreicht werden können.

Mit dem Hervortreten von Merkur aus Jupiter geschah dann ein weiteres Unglück: Die elektromagnetischen Effekte des Merkur störten das Sprachzentrum im vierten Menschen. Wir verstanden also nicht mehr, was die anderen Menschen sagten. Die Menschheit hatte ihre gemeinsame Sprache verloren.

Sonne – sechs Zentren

Unter der heutigen fünften Sonne waren gleich zwei neue Zentren erforderlich. Eines als Anker für diese neue und äußerlich so viel entferntere und zugleich mächtigere Sonne. Und eines für den neu in die Erdumlaufbahn eingebrachten aus Jupiter hervorgetretenen Mond.

Wir erhielten also den Solarplexus für die Sonne und das Sakralzentrum für den Mond. Auf einmal gab es im Menschen drei unterhalb des Herzens liegende Zentren. Und wir waren herausgefordert, Fühlen und Empfinden neu in unser Wesen zu integrieren.

Eine Aufgabe, mit der wir bis heute noch nicht fertig sind. Tatsächlich sind die Ebenen der Gefühle und der Empfindungen nach wie vor auch die Ebenen, auf denen wir besonders leicht und besonders intensiv manipulierbar sind. Was dahinter steckt, erzähle ich Dir in einem eigenen Kapitel!

Den meisten Menschen ist bis heute nicht mal bewusst, dass die Sonne sich über den Solarplexus im Menschen ausdrückt. Vielfach wird im New Age ja fälschlich geglaubt, die Sonne gehöre zum Herzen. Wie auch der Volksmund sagt: „Der hat die Sonne im Herzen", oder auch „Der hat ein sonniges Gemüt."

Wir erkennen auch, dass die beiden zusätzlichen Zentren eine Hierarchie bilden. Der Solarplexus steht über dem Sakral. Die Sonne steht also über dem Mond, was darauf hinweist, weshalb wir eine so starke Neigung zum Patriarchat in dieser Zeit erleben.

Frauen, die im Patriarchat selbst Machtpositionen einnehmen, geben daher auch das Sakral, den Mond, auf und drängen in den Solarplexus, in dem sie sich wie Männer verhärten und so dann zwar als Frau in eine Machtposition gelangen, dafür aber ihre Weiblichkeit geopfert haben.

DIE ZENTREN IM MENSCHEN UND IHRE POLARITÄT

Jedes der Zentren im Menschen hat eine bestimmte Polarität. Entweder empfänglich (yin) oder aktiv (yang). In diesem Kapitel wollen wir untersuchen, was die Polarität der vorhandenen Zentren unter den jeweiligen Sonnen für Auswirkungen auf die jeweilige Epoche hatte.

Polarität der Zentren unter Neptun

Hier erinnern wir uns an die Eindimensionalität und dass zugleich nur ein Zentrum vorhanden war: Das Herz. Und dieses Zentrum war ausschließlich empfänglich. Wir hatten also eine Yin-Konfiguration, denn es gab ja kein anderes Zentrum, das dieses Yin ausgeglichen hätte.

Stell Dir also jetzt vor, Dein Herz sei das einzige Dir verfügbare Zentrum in Deinem Leben. Alle anderen fünf Dir bekannten Zentren gäbe es nicht. Wie würde Dein Leben aussehen? Was würde Dein Leben bestimmen?

Du wärst permanent empfänglich für die Impulse Deines Schöpfers, der durch Dich wirkt. Es gäbe keine eigenen aktiven Impulse in Dir. Durch Dich fließen der Wille und die Liebe Deines Schöpfers, solange Du seinen Willen tust.

Da ihre Herzen keine Yang-Kraft besaßen, hatten sie nur die Möglichkeit, nach und nach Teile dieses Herzens zu verschließen, um sich dem überwältigenden Willen Luzifers, ihres Schöpfers und Herrschers zumindest zeitweise und in bestimmten Bereichen zu entziehen.

Dieses Thema können wir auch heute noch in der Interaktion mit anderen Menschen beobachten. Wenn diese unser Herz ganz einnehmen wollen, fangen wir an, uns Stück für Stück zu verschließen, um so ein wenig Eigenleben für uns zu reservieren.

Und so beginnt ein Thema, das ja auch astrologisch stark mit Neptun assoziiert ist, nämlich der Bereich der Heimlichkeiten. Je stärker nun von außen gefordert wird, alles zu offenbaren, vielleicht weil die andere Person unsicher ist und alles kontrollieren will, desto größer wird der geheime Bereich im Herzen.

Das können wir auch beobachten, wenn ein System immer totalitärer wird, also anfängt, Menschen mehr und mehr für ihre Meinung zu bestrafen. Auch hier findet ein Rückzug in den Menschen in die geheimen Bereiche ihrer Herzen statt. Dystopien wie „1984“ zeigen, dass auch diese Bereiche dann nicht mehr respektiert werden.

Der Mensch wird so absichtlich vom Kern her zerstört, wenn mit Gewalt die „Liebe zum Großen Bruder“ erzwungen wird. Das Yin des Herzens wird dann nur noch ausgebeutet und nicht als wesenhafte Eigenschaft des Menschen geachtet.

Polarität der Zentren unter Uranus

Bei Uranus als der zweiten Sonne der Menschheit erinnern wir uns der Zweidimensionalität und auch, dass wir als Menschen damals zwei Zentren hatten. Diese zwei Zentren waren das Herz und die Wurzel.

Wir erinnern uns nun daran, dass unser Herz yin, also empfänglich ist. Was aber ist die Wurzel? Hier geht es um das aktive Umsetzen auf der Erde durch den Körper. Wir haben es also bei der Wurzel mit einem Yang-Zentrum zu tun.

Wenn uns das klar wird, erkennen wir, dass unter Uranus ein ausgeglichenes Verhältnis von Yin und Yang vorhanden war. Wir hatten das empfängliche Herz und die aktive Wurzel. Auf diese Weise waren wir im Gleichgewicht, wenn wir in der Rechtsdrehung waren.

In unserem rechtsdrehenden natürlichen Zustand erlebten wir uns in einer tief erfahrenen Polarität, die uns Kraft gab. Wir waren zwischen Himmel (Herz) und Erde (Wurzel) aufgespannt. Wenn Eichendorff schrieb „Es war, als hätt‘ der Himmel die Erde still geküsst“, beschrieb er unbewusst diesen uranischen Zustand der Harmonie.

Aus diesen zwei Zentren konnte jedoch auch eine Pattsituation entstehen, wenn wir in die Linksdrehung gerieten. Wenn die heimlichen Bereiche des Herzens sich über die Wurzel auszuagieren begannen, entstand Schmerz.

Oft geschah es daher, dass die beiden Pole sich gegenseitig unter Kontrolle zu halten versuchten. Das Herz die Wurzel und die Wurzel das Herz. Dadurch war keine Bewegung möglich, denn es ging auf diese Weise weder vorwärts noch rückwärts.

Polarität der Zentren unter Saturn

Unter Saturn, als dritter Sonne der Menschheit waren es drei Dimensionen und ebenso drei Zentren, mit denen wir ausgestattet waren. Diese drei Zentren waren die bereits bekannten Herz und Wurzel, sowie neu, als drittes, das Stirnzentrum.

Wenn wir uns erinnern, dass das Herz yin und die Wurzel yang ist, wie sieht es dann beim Stirnzentrum aus? Hier geht es um die geistige Empfänglichkeit, also darum, uns dem Licht des Hohen Selbst öffnen zu können, um Erkenntnis zu erlangen.

Wir sehen also, dass wir unter Saturn auch wieder ein Yin-Übergewicht hatten. Wir hatten drei Zentren, von denen zwei, also Herz und Stirn, yin waren und nur eines, nämlich die Wurzel, yang war. Wir waren also auch unter Saturn nicht im Gleichgewicht!

Es gab ein eindeutiges Übergewicht in Richtung Yin. Und dieses Übergewicht an Yin gab auch die einzig mögliche Richtung vor, in der es uns möglich war, die drei Selbste zu schaffen und miteinander zu verbinden!

Nur, wenn das Herz zunächst den Weg zur Wurzel hinab nahm, konnte die Energie von dort ins Stirnzentrum aufsteigen. Warum das? Ganz einfach: Wegen der Polarität der Zentren. Zwei Yin-Zentren gehen nicht miteinander in Verbindung!

Und da Herz und Stirn jeweils Yin-Zentren sind, gibt es zwischen Ihnen keine Anziehung, sich zu verbinden. Es war also vorgegeben, dass nur in der Rechtsdrehung die drei Selbste sich verbinden konnten: Herz mit Wurzel und Wurzel mit Stirn.

Aber von der Erkenntnis in der Stirn kam wenig im Herzen an, stattdessen umso mehr in der Wurzel, die zugleich auch vom Herzen beeinflusst wurde. Wir hatten also zwei verschiedene Zentren, die unsere Aktivität stimuliert hatten.

Das führte immer mehr zu Konflikten, wie sie dann im Dramadreieck ausagiert wurden. Es gab kein Patt, wie unter Uranus und dem zweizentrigen Menschen, sondern einen permanenten Drang „das Falsche zu tun“ im Dramadreieck.

Diesen Drang, „das Falsche zu tun“ erleben wir auch heute noch astrologisch bei Saturn, der deswegen ja in der traditionellen Astrologie als „das große Übel“ bezeichnet wird.

Polarität der Zentren unter Jupiter

Mit Jupiter begann, wie wir uns erinnern, das zweite Äon der Menschheit. Es gab nun sechs Dimensionen und vier Zentren im Menschen. Diese vier Zentren waren Herz, Wurzel, Stirn und neu die Kehle.

Wenn wir nun sehen, welche Polarität die einzelnen Zentren haben, wissen wir bereits, dass das Herz yin, also empfänglich ist. Die Wurzel ist yang, also aktiv, während die Stirn wiederum yin, also empfänglich ist.

Welche Polarität finden wir nun bei der Kehle? Hier geht es ja um den stimmlichen Ausdruck über den Gesang. Es handelt sich also um eine Aktivität, die hier stattfindet. Wir lernten, zu singen. Das Kehlzentrum ist daher yang!

Dies führt uns zu der Erkenntnis, dass wir unter Jupiter wieder eine Balance vorgefunden haben. Es gab zwei Yin-Zentren, nämlich Herz und Stirn, sowie zwei Yang-Zentren, nämlich Wurzel und Kehle. Und so gab es erstmals eine Verbindung, die einen in sich geschlossenen Kreislauf bildete!

Vom empfänglichen Herzen floss die Energie hinab zur aktiven Wurzel. Von dort hinauf zur empfänglichen Stirn, von wo sie hinab zur aktiven Kehle floss. Und von der aktiven Kehle schließlich floss die Energie wieder hinunter zum empfänglichen Herzen.

Mit diesen vier Zentren entstand dann auch ein Verständnis der vier Richtungen, die schließlich auch zu den vier Himmelsrichtungen wurden. Wir hatten das Element Luft im Herzen, das Element Erde in der Wurzel, das Wasser in der Stirn und das Feuer in der Kehle.

Durch unseren aufrechten Gang lernten wir dazu noch oben und unten zu erfassen, was uns die sechs Richtungen in dieser sechsdimensionalen Welt lehrte.

Aber auch mit den vier Zentren war es wie zuvor unter Uranus mit seinen zwei Zentren wieder möglich, ein Patt zu erschaffen, was sich hier z.B. im unerfüllbaren Expansionsdrang in alle Richtungen gleichzeitig zeigt. Eine Eigenschaft, die wir auch heute noch astrologisch im Jupiter abgebildet finden.

Polarität der Zentren unter der 5. Sonne

Unter der fünften, also unserer heutigen Sonne erfahren wir uns, wie wir wissen, in 12 Dimensionen, zu denen wir über sechs Zentren Zugang finden können. Diese sechs Zentren sind Herz, Solarplexus, Sakral, Wurzel, Stirn und Kehle.

Wir sehen also, dass unter dieser fünften Sonne zum ersten Mal zwei Zentren gleichzeitig neu hinzukamen: Der Solarplexus und das Sakral. Das war durchaus naheliegend, denn wir bekamen hier auch zwei Gestirne neu ins System: Sonne und Mond!

Der Solarplexus ist das Zentrum, über das die Sonne auf uns einwirkt, während das Sakral die Domäne des Mondes ist. Da die Sonne als yang und der Mond als yin erfahren werden, ist der Solarplexus ein Yang-Zentrum, der Mond hingegen ein Yin-Zentrum.

Auch unter unserer fünften Sonne haben wir also ein ausgeglichenes Verhältnis von Yin und Yang. Das Herz ist yin, der Solarplexus yang, das Sakral wieder yin, die Wurzel yang, die Stirn erneut yin und die Kehle noch einmal yang.

Wir finden drei Yin-Zentren im heutigen Solaren Menschen, nämlich Herz, Sakral und Stirn, sowie drei Yang-Zentren, nämlich Solarplexus, Wurzel und Kehle.

Erneut finden wir also die Möglichkeit, in ein Patt zu geraten, was wir ja auch bei uns selbst und sehr vielen anderen Menschen ihr Leben lang beobachten können: Wir legen uns selbst lahm und kommen so nie dahin, unsere Bestimmung auf dieser Erde tatsächlich zu erfüllen.

Mit Solarplexus und Sakral taucht also eine neue Polarität in unserem Leben auf: Die von Sonne und Mond, was auch die von Vater und Mutter ist. Wir erinnern uns, dass unter Jupiter zunächst die Väter kaum eine Rolle spielten.

Aber hier, unter der fünften Sonne, geht es genau darum: Wir sollen, wie uns ja auch die Bibel bereits nahelegt, „Vater und Mutter ehren, auf dass es uns gut gehe und wir lange leben auf Erden“.

Die Polarität der Zentren im Menschen – Analyse und Ausblick

Wir sehen also, dass wir als Menschheit bisher zwei Epochen hatten, in denen wir ein Übergewicht an Yin-Energie hatten, während in den drei anderen Epochen das Verhältnis zwischen Yin- und Yang-Zentren ausgeglichen war.

Analyse

Um das nochmal zusammenzufassen: Unter Neptun mit einem Yin-Zentrum und unter Saturn mit zwei Yin-Zentren gegenüber einem Yang-Zentrum hatten wir jeweils mehr Yin- als Yang-Energie zur Verfügung.

Unter Uranus mit jeweils einem, unter Jupiter mit jeweils zwei und unter der heutigen fünften Sonne mit jeweils drei Yin- und Yang-Zentren war bzw. ist das Verhältnis ausgeglichen. Es stand bzw. steht also gleich viel Yin- wie Yang-Energie zur Verfügung.

Was erzählt uns das über die Menschheit? Woher kommen wir, wo stehen wir heute und wohin gehen wir möglicherweise?

Bei Betrachtung der Zentren und des Verhältnisses ihrer Polaritäten fällt mir direkt auf, dass wir noch nie ein Übergewicht in Richtung Yang hatten. Und wenn ich mir anschaue, wie die Menschheit sich bisher verhalten hat oder dies auch heute noch tut, denke ich: Gut so!

Bislang endeten alle Epochen der Menschheitsgeschichte in einer Art Desaster. Und allzu oft waren daran auch gewaltsame und kriegerische Aktivitäten beteiligt. Wie gesagt, wir sprechen hier ja immer noch von Epochen, die entweder Yin-dominiert oder ausgeglichen waren.

Was würde die Menschheit auf diesem Bewusstseinsstand anstellen, wenn sie ein Übermaß an Yang-Zentren zur Verfügung hätte? Die Aggression würde sich kaum auf dem Planeten Erde halten lassen, sondern in konzertierter Aktion gegen andere Zivilisationen gerichtet werden.

Von daher ist es also erforderlich, dass in der Menschheit ein grundlegendes Erwachen stattfindet, das in Richtung von Verantwortung für die eigenen inneren Prozesse geht. Insbesondere in Richtung der inneren Prozesse, die mit den aktuell unteren Zentren, Solarplexus, Sakral und Wurzel zu tun haben.

Es geht also darum, die Ebenen von Fühlen, Empfinden und Instinkt im Menschen zu meistern. Wir sind eingeladen, diese Ebenen in uns mit Liebe, Entschlossenheit und Bewusstheit zu durchdringen, so dass sie zu unseren alltäglichen Fähigkeiten gehören.

Bislang werden diese unteren Zentren noch abgewertet, als „primitiv“ bezeichnet und ihre Funktionen mit Scham und Schuld belegt. All dies ist natürlich in keiner Weise nützlich, wenn wir bewusster und wacher leben wollen.

Es nützt nur denen, die diesen Planeten beherrschen und die Menschen über diese Mechanismen von Scham und Schuld manipulieren wollen. Wir sind also eingeladen, diese Ebenen in uns tiefer kennenzulernen und in Besitz zu nehmen.

Warum tun wir das bis heute nicht in ausreichendem Maße? Ganz einfach: Wann immer wir uns diesen drei Zentren in uns nähern, stellen wir fest, wie viel alte schmerzhafte Erfahrungen darin gespeichert sind, mit denen wir uns lieber nicht konfrontieren wollen.

Wenn wir jedoch jemals aus der Rolle als unmündige Kinder im Kosmos hinauswachsen wollen, kommen wir nicht drum herum, uns diese traumatischen Erinnerungen in uns anzuschauen. Trauma heilt leider nicht von selbst. „Zeit heilt alle Wunden", glaubt der Volksmund. Das gilt hier leider nicht.

Wenn wir also feststellen, dass es Emotionen in uns gibt, die wir nicht fühlen wollen, wenn wir feststellen, dass es Empfindungen gibt, die uns erstarren lassen oder wenn wir bemerken, dass es Situationen gibt, die wir instinktiv vermeiden wollen, dann geht es tatsächlich genau dort lang!

Und damit meine ich nicht, sich kopfüber in möglicherweise retraumatisierende Erlebnisse zu stürzen. Nein, ich meine, dass wir die verdrängten Erinnerungen nach und nach ans Licht kommen lassen, damit sie uns bewusst werden und heilen können.

Zu diesem Zweck ist die aktuelle Konfiguration des Menschen unter unserer fünften Sonne optimal! Wir haben je drei Zentren in Yin- wie in Yang-Polarität. Und das jeweils passend zu den drei Selbsten des Menschen, die unter Saturn entstanden sind.

Wir haben also je ein Yang- und ein Yin-Zentrum in jedem der drei Selbste verfügbar: Das Herz als Yin-Zentrum im Mittleren Selbst, das Sakral als Yin-Zentrum im Unteren Selbst und die Stirn als Yin-Zentrum im Hohen Selbst.

Ebenso haben wir den Solarplexus als Yang-Zentrum im Mittleren Selbst, die Wurzel als Yang-Zentrum im Unteren Selbst und die Kehle als Yang-Zentrum im Hohen Selbst. Wir sind eingeladen, auf diesen insgesamt sechs Ebenen zu erwachen und unsere Traumata zu heilen.

Wenn ich davon spreche, Traumata zu heilen, meine ich übrigens nicht irgendwelche angeblich „magischen“ Schnellverfahren, in denen Dir versprochen wird, Deine Zellerinnerungen binnen eines Wochenendes oder gar eines einzigen Tages zu löschen.

Solche “Wash-And-Go”-Lösungen bringen nicht nur keinen Nutzen für den Teilnehmer. Tatsächlich schaden sie ihm sogar, denn die Suggestion, seine Traumata seien nun gelöst, lassen ihn wieder tiefer in den D+U+M=M Zustand hinein einschlafen und sich der Illusion ergeben, seine Verletzungen seien nunmehr ohne eigenes Zutun geheilt.

Wenn wir mit traumatischen Ereignissen in uns in Kontakt kommen, ist dies sehr wahrscheinlich der Auslöser dafür, in H+A+S=S introvertiert zu fallen. Wir fühlen uns hilflos, gehen autoaggressiv gegen uns selbst vor und neigen zu Selbstzweifeln, die in Richtung Selbstzerstörung führen.

Da unser normaler Zustand im Alltag in der Regel der D+U+M=M Zustand ist, in dem wir uns im Herzen dumpf, im Bauch unklar und im Geist als minderwertig erleben, was dann zu Mittelmaß führt, sehnen wir uns nach dieser vertrauten Dumpfheit zurück.

Daher ist es durchaus verständlich, dass wir im schmerzerfüllten H+A+S=S introvertiert Zustand dafür anfällig sind, dass uns jemand verspricht, all diese Schmerzen seien sinnlos, es sei ja schließlich alles schon vorbei und wir hätten das Recht jetzt auf der Stelle glücklich zu sein.

Und dann wird in solchen Kursen versprochen, Du seist ein so machtvolles geistiges Wesen, das in der Lage sei, alle traumatischen Engramme augenblicklich zu löschen und sich bis in die Ebene der Genetik hinein neu zu programmieren.

Diese Versprechen führen Dich dann in den H+A+S=S extrovertiert Zustand, wo Du hochmütig, aggressiv und Dich selbst überhöhend in einen Zustand der Selbstverhärtung eintrittst, den Du dann mit Heilung verwechselst.

Diese Selbstverhärtung hält aber nur eine gewisse Zeit. Dann bröckelt sie ab, wie Beton, der schnell verwittert. Das Abbröckeln dieser falschen Maske von Pseudoheilung ist natürlich eine Gnade, denn so wirst Du wieder auf Dich und Deine wirklichen Gefühle und Empfindungen zurückgeworfen.

Wir sind also eingeladen, Trauma in unseren Erinnerungen aufzuspüren und dann im Körper nach und nach zu heilen. Wir müssen dabei zu Beginn nicht unbedingt alles wissen, was uns passiert ist, denn nach meiner Erfahrung zeigt sich vieles im Laufe der Zeit, wenn wir bereit sind.

In meinem eigenen Erleben ist das zunehmende Auflösen von Traumata der Weg, gelassener mit Herausforderungen im Leben umgehen zu können. Wir müssen also Trigger nicht mehr länger abwehren und verdrängen, sondern können sie heilen und auflösen.

Wenn wir dann in schwierige Situationen geraten, stellen wir fest, dass wir auf einmal gar nicht mehr so hysterisch reagieren wie zuvor. Wir müssen nicht mehr rumschreien, andere Menschen beschuldigen oder uns selbst fertigmachen, sondern finden konstruktiv Lösungen für den Moment.

Ausblick

Diese intensive Traumaarbeit bildet dann die Grundlage, weiter zu wachsen. Je mehr wir die individuellen Traumata aus unseren Zentren und unseren Körperzellen löschen, desto mehr sehen wir, wie sehr die Menschheit als Ganzes immer wieder traumatisiert wurde.

Und auch diese Wunden können wir nach und nach in uns heilen, wenn wir dazu bereit sind. Auf diese Weise werden wir immer friedfertiger. Wir kommen so immer mehr in die Lage, ein Gefäß für Energie zu werden, die wir in uns halten können.

Dies ist eine entscheidende Grundlage dafür, uns in eine Yang-Richtung entwickeln zu können, ohne auf diese Weise zu einer Gefahr füreinander oder gar für andere Lebensformen zu werden. Wenn wir also in der Lage sind, L+E+B=E!, d.h. Liebe im Herzen, Entschlossenheit im Bauch und Bewusstheit im Geist zu halten, können wir aktiv sein, ohne anderen Menschen zu schaden.

In diesem Ausblick sehe ich uns als Menschheit derzeit auf halbem Wege. Der nächste Schritt unter einer sechsten Sonne wäre dann ein Mensch mit sieben Zentren, also der erste Mensch mit einem Übergewicht im Yang-Bereich: Vier Yang- und nur drei Yin-Zentren.

Dieser Mensch kann durch seine Friedfertigkeit und Bewusstheit dann erste Schritte in der Richtung machen zu manifestieren, ohne das auf Kosten anderer Wesen zu tun. Wir werden also ein weiteres geistiges Zentrum dazu bekommen, das über dem Stirnzentrum angesiedelt sein wird.

Hier können dann die kosmischen Energien in einer Weise direkt kanalisiert werden, so dass eine geistige Vision entsteht, die einer Blaupause gleicht, die direkt umgesetzt werden will. Aber das werden wir nicht geschenkt bekommen.

Bewusstseinswachstum, echte Entwicklung finden im Menschen nicht statt, wenn er sich nicht anzustrengen bereit ist. Und ja, die aktuelle Situation der starken Traumatisierungen im Menschen ist nicht gerade dazu angetan, sich anstrengen zu wollen.

Aber tatsächlich ist es ja auch so, dass einige astrale Parasiten und ihre irdischen Handlanger auf diesem Planeten gut davon leben, dass wir uns nicht anstrengen wollen. Ihnen gefällt es, uns abzulenken, uns immer neue Zerstreuungen zu präsentieren. Bis es zu spät ist.

Ja, es gibt den berühmten „Point of no Return“, den Punkt ohne Wiederkehr. Wenn wir uns immer weiter gehen lassen, immer nur dem Weg des geringsten Widerstands folgen, werden wir früher oder später an diesen Punkt gelangen. Aber noch können wir umkehren...

Die Herrscher der Zentren des Menschen im Verlauf der 5 Sonnen bis heute

Jedes Zentrum im Menschen steht in Resonanz mit einem Himmelskörper im Kosmos. So finden wir die hermetischen Prinzipien vom Anfang wieder: „Wie oben, so unten. Wie innen, so außen. Wie der Geist, so der Körper."

Wie oben, so unten, also. Oben ein Himmelskörper. Unten ein Zentrum im Menschen. Und das von Beginn an. Durch alle fünf Sonnen hindurch finden wir dieses Thema. Schauen wir uns also an, wie sich die Herrscher unserer Zentren im Laufe der beiden Äonen der Menschheit entwickelt haben.

Zentrenherrscher unter Neptun

Unter Neptun hatten wir nur ein Zentrum. Das Herz. Und dieses Zentrum wurde natürlich auch direkt von Neptun beherrscht. Alles war eindimensional. Linksdrehend führte uns das in die Einfalt, rechtsdrehend ins Einssein.

Wir sehen also, dass Luzifer, die Wesenheit hinter Neptun, wie wir im Kapitel „Die Wesenheiten hinter den 5 Sonnen" erfahren hatten, hier allumfassend regieren konnte. Nur das neptunisch-luziferische Prinzip wirkte im ersten Menschen.

Zentrenherrscher unter Uranus

Hier hatten wir bereits zwei Zentren: Das Herz und neu die Wurzel. So entstand linksdrehend die Dualität und rechtsdrehend die Polarität. Beherrscht von Neptun im Herzen und neu Uranus in der Wurzel.

Wir hatten also eine untergegangene Sonne als Herrscher des Herzens unter Uranus! Neptun und der in ihm gefangene Luzifer verblendeten linksdrehend die neuen uranischen Menschen, deren uranisch-ahrimanischer Impuls in der Wurzel wirkte.

Daher war dieser neue Mensch in sich nicht mehr eins. Zwar gab es den äußeren uranischen Impuls in der Wurzel, aber das neptunisch beherrschte Herz wirkte weiter. In dieser Konstellation finden wir auch das biblische Thema von Kain und Abel wieder!

Kain (Uranus), der seinen Bruder Abel (Neptun) erschlug und so den weiteren Fortgang der Geschichte der Menschheit entscheidend geprägt hat! So tragen wir alle einen Kain in der Wurzel und einen Abel im Herzen.

Zentrenherrscher unter Saturn

Hier kam die Stirn als drittes Zentrum hinzu. Und wir entwickelten potenziell drei Selbste. Saturn beherrschte also von Anbeginn die Stirn und damals auch das Hohe Selbst. Wir hatten also Neptun als Herrscher des Herzens, Uranus als Herrscher der Wurzel und Saturn als Herrscher der Stirn.

Es wirkten also drei Wesenheiten auf uns ein, was bereits sehr herausfordernd war: Luzifer über Neptun auf das Herz, Ahriman über Uranus auf die Wurzel und Satan über Saturn auf die Stirn. Dass wir eine Neigung zum Dramadreieck entwickelten, überrascht so sicher nicht.

Sicher auch interessant, dass die heutige Kirche eine „heilige Dreifaltigkeit“ propagiert, oder? Wer steckt also in Wirklichkeit hinter „Vater, Sohn und Heiligem Geist“? Eine ebenso spannende wie erschreckende Erkenntnis.

Dazu kommt im Dramadreieck auch noch das Thema „Täter, Opfer und Retter“. Wann immer also jemand als „Retter“ auf einen Sockel gestellt wird, sind wir eingeladen, sehr vorsichtig zu sein, denn hier geht es um die Falle des Dramadreiecks.

Zentrenherrscher unter Jupiter

Unter Jupiter als vierter Sonne kam zu Beginn des zweiten Äons die Kehle als viertes Zentrum hinzu. Dieses Zentrum wurde von Anfang an bis heute von Jupiter beherrscht.

Wir hatten unter Jupiter dann Neptun als Herrscher des Herzens, Mars statt zuvor Uranus als Herrscher der Wurzel, Saturn als Herrscher der Stirn und Jupiter als Herrscher der Kehle.

Wie wir schon erfahren hatten, wurde der jupiterische Mensch unter der Herrschaft der Göttin sehr viel aggressiver und begann zu jagen, sowie Krieg zu führen. Beides beeinflusst durch Mars als neuem Herrscher der Wurzel.

In den drei Selbsten beherrschte Neptun das Mittlere Selbst, Uranus das Untere Selbst und Pluto statt zuvor Saturn das Hohe Selbst. Das Thema des Todes bekam mit Pluto als Herrscher des Hohen Selbst im zweiten Äon einen ganz neuen Stellenwert, denn die Lebensspanne wurde deutlich kürzer.

Zentrenherrscher unter der heutigen Sonne

Mit Beginn der Epoche unserer heutigen fünften Sonne kam zugleich der Mond in die Erdumlaufbahn. Der Mond wurde zunächst von Aphrodite beherrscht, da Venus ja noch nicht bekannt war.

Wir bekamen also zwei neue Zentren: Den Solarplexus und das Sakral. Der Solarplexus wurde von Beginn an von der Sonne beherrscht, das Sakral vom Mond. Wir hatten also zunächst Neptun im Herzen, die Sonne im Solarplexus, den Mond im Sakral, den Mars in der Wurzel, Saturn in der Stirn und Jupiter in der Kehle.

Als später die Venus in unserem neu entstandenen Sonnensystem Amok gelaufen war, wurde sie zur neuen Herrscherin unseres Herzens und zugleich ja auch zu einem neuen Vehikel für Luzifer!

Unsere aktuelle Herrscherkonfiguration der Zentren ist also:

Herz – Venus

Solarplexus – Sonne

Sakral – Mond

Wurzel – Mars

Stirn – Saturn

Kehle – Jupiter

Wenn wir nun nach den drei Selbsten schauen, sehen wir, dass hier weiterhin Neptun das Mittlere Selbst, Uranus das Untere Selbst und Pluto das Hohe Selbst beherrschen.

Wir haben also eine Konfiguration, in der zwei vergessene alte Sonnen und der Herr des Todes die drei Selbste dominieren. Die Verwirrung und Fragmentierung der heutigen Menschheit wirkt so nicht wirklich zufällig, oder?

Und ich erinnere nochmal daran: Wir bekamen unter der fünften Sonne zwei neue Zentren: Den Solarplexus und das Sakral. Der

Solarplexus wurde von Beginn an von der Sonne beherrscht, das Sakral vom Mond.

Und über diese beiden Zentren hängt die Menschheit sehr wesentlich am Haken derer, die sie angreifen, ausnutzen und ausbeuten wollen. Dies zu erforschen, wird Aufgabe der nächsten Kapitel dieses Buches sein.

FRAGMENTIERUNG & ANGRIFFE

Es ist wesentlich zu erkennen, wie wir als Menschen in der Linksdrehung permanent energetisch ausgebeutet werden!

WAS WIR ENERGETISCH IN DER LINKSDREHUNG SIND

Erinnerst Du Dich an den ersten Matrix-Film? An die Szene, als Morpheus Neo die Batterie zeigt und sagt:

„Die Matrix ist eine computergenerierte Traumwelt, die geschaffen wurde, um uns unter Kontrolle zu halten, so dass sie Menschen in das hier verwandeln können."

Batterien also sind wir, solange wir nicht aufwachen. Aber wessen Batterien? An wen geht die Energie, die wir produzieren, die wir aber nicht bewusst nutzen? Im Kapitel „Gefängnisplanet Erde – wer sind Gefängnisdirektor und Gefängniswärter?" schreibe ich später:

Die Azteken sprachen davon, sie seien „das Volk der Sonne". Und was sollten sie liefern? Sie glaubten, es sei ihre „göttliche Pflicht", einen „kosmischen Krieg" zu führen, um die Sonne mit seinem Tlaxcaltiliztli ("Nahrung") zu versorgen. „Ohne sie würde die Sonne vom Himmel verschwinden. Das Wohlergehen und das Überleben des Universums selbst hing also von den Blut- und Herzopfern an die Sonne ab." (Aus Wikipedia: en.wikipedia.org/wiki/Five_Suns)

Gurdjieff, der geniale armenische Mystiker, wiederum beschrieb die schlafende Menschheit als „Nahrung für den Mond". Sein langjähriger russischer Schüler Ouspensky zitiert Gurdjieff in Kapitel 5 seines Werks „Auf der Suche nach dem Wunderbaren" wie folgt: „Der Mensch wird vom Mond wie von einem riesigen Elektromagneten angezogen und bringt ihm die Wärme des Lebens, von dem sein Wachstum abhängt."

Wir sehen also, dass wir als unbewusste Menschen nichts als Nahrung für Sonne und Mond darstellen. Wir bekommen Reize von ihnen, durch die wir bestimmte Emotionen und Empfindungen freisetzen. Und am Ende unserer physischen Existenz unsere Lebenskraft!

Und das hängt wiederum mit der Unbewusstheit der Masse der Menschen in diesen beiden Zentren zusammen, in Solarplexus und Sakral! Wenn wir Menschen in diesem Bereich unbewusst sind, schlafen wir.

Geheimnisse hinter Solarplexus und Sakral

Während wir schlafen, sind wir sehr leicht zu manipulieren. Solarplexus und Sakral fangen beide mit S an. S ist der 19. Buchstabe des Alphabets. Wir haben hier also zweimal das S. Also SS, sozusagen. Kommt uns das irgendwie bekannt vor?

Ja, die Mördertruppe von Adolf Hitlers Gnaden wurde SS genannt. Die SS wiederum war ein magischer Sonnenkult. Wer einmal in der Wewelsburg war und in der schwarzen Sonne gestanden hat, weiß, dass das keine Spinnerei ist.

Auch das Hakenkreuz des NS-Regimes basiert auf einem Sonnensymbol, der Swastika, was auch mit „Sonnenrad" übersetzt werden kann. Es ging also um einen Sonnenkult bei all den grandiosen Inszenierungen im Dritten Reich.

Wenn ich „Sonnenkult" sage, meine ich das im wörtlichen und energetischen Sinne. Es handelte sich also keineswegs um ein paar frustrierte und sexuell verklemmte Männer, die ein bisschen Gralsritter spielen wollten. Das hier war sehr real. Der Kult – und auch der Krieg – dienten der Sonne.

Wie ich bereits im Kapitel „Die Wesenheiten hinter den 5 Sonnen" beschrieben hatte, ist die zentrale Wesenheit hinter dem ganzen Drama der beiden Äonen der Menschheit und der Herrscher der heutigen 5. Sonne der Demiurg.

Über den Demiurg wird gesagt, dass er uns nicht geschaffen hat, er sich aber dennoch als unser Gott ausgibt. Er lässt uns glauben, er sei „Gott". Dabei ist er in Wirklichkeit die Wesenheit hinter der 5. Sonne. Und letztlich der Zerstörer der ersten vier Sonnen!

Kommen wir nun zurück zum S! Was fällt uns da auf? Natürlich fängt auch die Sonne mit S an. Wir haben also in Solarplexus und Sakral zweimal das S. 19 + 19 = 38. Die Quersumme von 38 wiederum ist 11. Und 11 ist die Zahl der Sonne, denn alle 11 Jahre polt sich die Sonne magnetisch um.

Die Sonnenrune, die dem jüngeren Futhark der Germanen entnommen wurde, steht in diesem an 11. Stelle. Diese Sonnenrune „Sowilo", wurde vom völkischen Autor Guido von List zur (heute in Deutschland verbotenen) „Siegrune" stilisiert:

„sal und sig (Heil und Sieg)! Dieser vieltausendjährige urarische Gruß- und Kampfruf [...] ist in der ‚Sig-Rune' (Siegrune), dem elften Zeichen des Futharks, zum Symbol geworden: Der Schöpfergeist muss siegen!" – Guido von List: Das Geheimnis der Runen. Wien 1908, S. 14.

Wir haben also auch hier wieder ein Stück Sonnenmagie der 11, die von der SS und Waffen-SS benutzt wurde. Aber es gibt natürlich auch noch andere fragwürdige Organisationen, die zu großer Macht auf der Erde gekommen sind, indem sie dem Sonnenkult der 11 huldigen, wie wir gleich sehen werden.

DIE 11 ALS SOGENANNTE MEISTERZAHL

Viele Menschen wissen ja, dass die 11 und ihre Vielfachen numerologisch als „Meisterzahlen“ gelten. Viele glauben gar, die Vielfachen der 11 seien „Freimaurerzahlen“, was sie nicht sind. Und natürlich liegt die Macht dieser Zahlen nicht darin, "Freimaurerzahlen" zu sein.

Die Vielfachen der 11 sind deswegen so machtvoll, weil sie mit dem zentralen Taktgeber dieses Sonnensystems verbunden sind. Die Freimaurer sind wie die christliche Kirche nichts als Sonnenkulte dieser 5. Sonne.

Also gerade WEIL diese Zahlen so machtvoll sind, benutzen die Freimaurer sie. Wobei die ersten, die der 33 viel Aufmerksamkeit gegeben haben, die Katholiken waren, die ihrer Jesusfigur ein Ableben mit 33 angedichtet haben. Und eine Auferstehung noch dazu. Und eine Himmelfahrt gratis obendrauf! Wenn das nicht einer "Meisterzahl" würdig ist.

Ein magischer Sonnenkult und sein Wiedergänger

Die Quersumme von SS ist also 11. Die SS war ein magischer Sonnenorden. Und die Männer, die dabei mitgemacht haben, waren Diener dieses magischen Sonnenkults. Der ist übrigens alles andere als vorbei.

Wir sollen ihm weiter huldigen und unsere Energie wie die Batterie in Morpheus' Geschichte abgeben. Und während also der brave Deutsche – je „gebildeter", desto gebannter – vor Dokus über das 3. Reich sitzt, merkt er gar nicht, was da wirklich läuft:

Er wird wieder in diesem Sonnenkult energetisch abgemolken! Der Sonne ist es egal, ob Du ihm begeistert Deine Energie gibst, oder angeekelt, aber fasziniert. Und das ist in etwa die Haltung des Zuschauers, der sich Dokus wie „Kindheit unterm Hakenkreuz", „Medizin unterm Hakenkreuz" usw. ergeben anschaut.

Heute glauben ja viele Menschen: „Nein, sowas könnte nicht nochmal passieren. Nicht in Deutschland." Aber während sie davon delirieren, durch eine kleine Systempartei würden nun „die Nazis wiederkommen", sind sie längst selbst zu einem neuen faschistoiden Orden geworden.

Wie die Sonne regiert

Und unter diesem Orden wird nun der nächste Sonnenkult gekrönt. Wie passend, dass es eine Corona ist, eine Krone, die uns da heimsucht, nicht wahr? Und eine Korona haben Sonne und Mond bei passender Lichtbeugung auch gern mal.

Die Sonne hat übrigens eine weitere Korona in ihrer Atmosphäre! Ein sehr heißer Bereich der Sonnenatmosphäre heißt Korona. Mittels dieser Korona beherrscht die Sonne die Erde. Wenn „Löcher" in dieser Korona auftreten, wird es bei uns gefährlich!

Das sind dann nämlich koronale Löcher, durch die beschleunigtes und oft auch verdichtetes Plasma zur Erde strömt. Und das erzeugt dann regelmäßig starke Erdbeben. Interessant, dass in der Bibel an entscheidenden Stellen im Alten wie im Neuen Testament von Erdbeben die Rede ist. soundwords.de/die-erdbeben-in-der-bibel-a6816.html

Ich möchte das ganz, ganz deutlich sagen: Wenn wir weiter in der Linksdrehung vor uns hindämmern, uns so leicht Angst einjagen lassen, wie es sich in den letzten Jahrzehnten immer wieder gezeigt hat und wie wir es bis heute weiterhin sehen, werden Solarplexus und Sakral für uns zu nichts weiter als zum Gefängnis.

Und zwar zu einem weitgehend ausbruchssicheren Gefängnis! Um auch das sehr klar zu sagen: Wir wählen unser Schicksal. Wir sind schöpferisch. Selbst in diesem degenerierten Zustand, in dem wir als Menschheit uns derzeit befinden, können wir nicht anders, als schöpferisch zu sein.

„Man kann nicht nicht schöpferisch wirken", möchte ich hier in Anlehnung an Paul Watzlawick postulieren. Er selbst schrieb über Kommunikation: "Man kann nicht nicht kommunizieren, denn jede Kommunikation (nicht nur mit Worten) ist Verhalten und genauso wie man sich nicht nicht verhalten kann, kann man nicht nicht kommunizieren." paulwatzlawick.de/axiome.html

Wir können also auch seinen kompletten Satz auf das schöpferisch sein übertragen und schreiben:

"Man kann nicht nicht schöpferisch wirken, denn jeder schöpferische Akt (nicht nur mit Gedanken) ist Verhalten und genauso wie man sich nicht nicht verhalten kann, kann man nicht nicht schöpferisch wirken."

Es liegt also in und an uns selbst, ob wir linksdrehend den Weg des vermeintlich geringsten Widerstandes in eine immer weitere Degeneration hinein beschreiten, oder ob wir bewusst aufwachen und uns rechtsdrehend diesem Verfall entgegenstellen.

Wir wirken so oder so schöpferisch. In der Linksdrehung wird unsere Schöpferkraft komplett durch unsere Angst fremdbestimmt. Wir erschaffen die Welt eines anderen. Wir erschaffen die Welt, die uns die Herren dieser Welt durch ihre Marionetten in Politik, Wissenschaft und Medien vorgaukeln.

Wir machen aus Angst einfach nur nach, was man uns vormacht. Aber dennoch ist es immer noch unsere Schöpferkraft, die wir diesem Sklavensystem geben. Dafür sind wir verantwortlich, und daraus können wir uns später auch nicht mehr rausreden, wenn wir gefragt werden, warum wir nicht gelebt haben.

In der Rechtsdrehung hingegen fangen wir an, selbst die Verantwortung für unsere Schöpferkraft zu übernehmen. Wir überlassen sie nicht länger denen, die uns Angst einzujagen versuchen. Nein, wir dringen selbst zu der Liebe vor, die wir in Wahrheit sind und lassen sie durch uns leben.

Wir lassen die Liebe durch uns wirken. Wir werden zu Instrumenten der Liebe, die auf uns spielen darf. Das ist Schritt für Schritt einerseits befreiend, andererseits erfahren wir aber auch immer wieder den Druck der Schlafenden.

Wenn Du einem Schlafenden mit Liebe kommst, macht es ihm Angst. Und wer Angst hat, wird gewalttätig. Deswegen nannte Meister Yoda in „Star Wars" ja auch Angst den „Weg zur Dunklen Seite". Wer Angst hat, will aus der Angst raus.

Angst ist H+A+S=S introvertiert. Wir fühlen uns hilflos, autoaggressiv und voller Selbstzweifel. Und ein Weg aus der Angst raus ist in H+A+S=S extrovertiert zu switchen. Wir fühlen uns dann hochmütig, aggressiv und erhöhen uns selbst. Das macht uns latent gewalttätig.

Wie sagte Morpheus so treffend zu Neo: „Du musst verstehen, die meisten dieser Menschen sind nicht bereit um abgekoppelt zu werden. Und viele von ihnen sind so hoffnungslos abhängig vom System, dass sie bereit sind zu kämpfen um es zu beschützen."

Wir sollten also lernen, weise zu werden, wenn wir aufwachen. Wie ich später noch ausführen werde, leben wir auf einem Gefängnisplaneten. Natürlich redet man uns gern ein, wir seien frei, wir hätten Rechte usw.

Aber wenn wir genau hinschauen, sind das alles nur Auslaufzonen, die unsere Herren uns gewähren und die sie uns ebenso gut auch wieder wegnehmen können. Freiheit bedeutet, etwas in Dir zu finden, das Dir nicht genommen werden kann.

Nicht durch Drohungen, nicht durch Gefängnis, nicht mal durch Folter. Und natürlich erst recht nicht durch den Tod. Das ist es auch, was einen Jedi in den Star Wars Filmen ausmacht: Er ist mit der Macht, wie das Selbst hier genannt wird, so sehr eins, dass er nicht einzuschüchtern ist.

Diese Ebene gilt es in uns zu stärken und zwar durch tägliche Praxis, auch an Solarplexus und Sakral! Zu diesem Zweck gibt es im Übungsteil eine sehr kraftvolle Praxis für Dich, in der ich Dir zeige, wie du dieses innere Gefängnis immer weiter bewusst machen und schließlich nach und nach auflösen kannst!

Warum wir das als tägliche Praxis üben, ist sehr einfach: Wenn wir es nicht tun, werden unsere Anstrengungen vergebens sein. Als Hobby- oder Wochenendesoteriker werden wir keinen nachhaltigen Zugang zur Rechtsdrehung und zur Anthrosynthese finden.

Die Anstrengungen, um die es geht, brachte Gurdjieff so bereits vor über 100 Jahren auf den Punkt: „Sie wissen, was der Ausdruck .Astralleib' bedeutet. Aber die Ihnen bekannten Systeme gebrauchen diesen Ausdruck, als ob jeder Mensch einen .Astralleib' habe.

Das ist ganz falsch. Was man den ‚Astralleib' nennt, wird durch innere Fusion erreicht, das heißt durch furchtbar harte innere Arbeit und inneren Kampf. Der Mensch wird nicht damit geboren. Und nur wenige Menschen erlangen einen ‚Astralleib'."

Meine eigene Erfahrung bestätigt mir eines: Es lohnt sich, diesen Weg zu beschreiten. Dieser Weg erfüllt uns mit echter genuiner innerer Freude, denn er wird aus der Liebe gespeist. Es ist das Beste, was wir mit der uns verfügbaren Lebenszeit und Schöpferkraft anstellen können.

DIE 3 SELBSTE UND 3 EBENEN IM MENSCHEN

3 Selbste und 3 Ebenen

Als sich unter Saturn die drei Selbste des heutigen Menschen in ihrer rechtsdrehenden Urform entwickelt hatten, also das Mittlere, das Untere und das Hohe Selbst, bildete sich auch eine Gegenbewegung dazu aus: Die 3 Ebenen der Linksdrehung!

Obwohl sie in denselben 12 Dimensionen agieren, ist ihre Mechanik eine völlig unterschiedliche. Während die 3 Selbste dem Gesetz des Lebendigen dienen, dienen die 3 Ebenen als Portale der Manipulation.

Wir müssen beide Varianten verstehen, um uns als Menschen begreifen zu können. Die Potenziale der Anthrosynthese erschließen sich uns durch die 3 Selbste in der Rechtsdrehung. Aber nur, wenn wir auch die 3 Ebenen der Linksdrehung begreifen, verstehen wir, welche Gefahren in ihr lauern.

Für den Zugang zur Schaffung der drei Selbste in uns beginnen wir im Herzen in der 8. Dimension. Von hier aus beginnt die Rechtsdrehung mit dem Erwachen. Das Leben ist bereit, ein Opfer zu bringen. Das ist es immer, wenn es in Liebe IST.

Liebe ist die treibende Kraft bei der Schaffung und Verbindung der 3 Selbste in uns Menschen. Wenn wir die Liebe im Herzen erwecken, wachsen wir über unsere linksdrehende falsche Persönlichkeit hinaus.

Ein größerer Zusammenhang eröffnet sich uns. Ein Netzwerk des Lebendigen, das weit über unsere Eigeninteressen hinausweist. Und so beginnt unser Abstieg ins Dunkel. Ein freiwilliger Abstieg, kein Fall!

In der Rechtsdrehung führt der Weg durch die Dunkelheit ins Licht. Wir nehmen es auf uns, nicht den vermeintlich leichten Weg zu nehmen, den die Linksdrehung uns anbietet. Einige Elemente dessen, was Links- und Rechtsdrehung ausmacht, finden wir in den Themen bei Star Wars.

Der Weg der Jedi ist der Weg der Rechtsdrehung. Und eben auch der Weg, der dunklen Seite nicht zu erliegen, indem wir lernen, sie zu meistern, während wir der Liebe vertrauen. Die Jedi wollen nicht groß sein, um damit angeben zu können. Sie dienen der Liebe.

Der Weg der Sith ist der Weg der Linksdrehung. Er beginnt mit dem Zorn und macht sich dann Angst und Schmerz anderer zunutze. So glauben die Sith, Macht zu erlangen, während sie in Wirklichkeit den eigenen Emotionen Zorn, Angst und Schmerz erlegen sind.

Aus dem erwachenden Herzen heraus beginnen wir, unsere Gedanken und damit auch unsere Wünsche zu ergründen und zu durchschauen. Wir erkennen tiefer und tiefer, wie uns die Wünsche immer wieder in die Linksdrehung ziehen wollen.

In unseren Herzen warten eine Menge Wünsche auf uns, die nicht unsere eigenen sind. Diese Wünsche sind es, die es zu erkennen und zu durchschauen gilt. Nur die Wünsche, die zu unserem Weg und Wesen gehören, sind für uns. Dies lernen wir zu unterscheiden.

Das Mittlere Selbst führt uns ins Ergründen und Erfühlen dessen, was das Erwachen in unserem Herzen erzeugt: Eine Flamme der Liebe, die unauslöschlich ist.

Im Unteren Selbst schaffen wir eine Verdichtung der Energie, die uns durch die Dunkelheit und Angst auf dieser Ebene trägt. Hier sind wir eingeladen, der Liebe so sehr zu vertrauen, dass wir physischen Versuchungen widerstehen können. Nur die Liebe kann sie überwinden.

Nur diese Zusammenarbeit von Mittlerem und Unterem Selbst eröffnet uns den Zugang zum Hohen Selbst, wo wir Zugang zu Ebenen von Licht und Äther bekommen, die uns in der Linksdrehung immer verschlossen geblieben sind.

In der Linksdrehung erfahren wir statt den drei Selbsten drei Ebenen. Auch hier beginnt es mit der achten Dimension im Herzen, die wir im physischen Tod hinter uns gelassen haben. Es beginnt also im Jenseits! Dort werden wir programmiert. Fremdbestimmt programmiert.

Hier gleichen wir diesen Menschen, die an die Matrix angeschlossen vor sich hinträumen. Wir werden programmiert, um uns in bestimmten Rollen wohlzufühlen, uns von bestimmten Szenarien angezogen zu fühlen, damit wir später die gewünschten Energien freisetzen.

Diese Ebene beinhaltet einen großen Zorn auf das Lebendige. Das Lebendige, dem man nicht entrinnen kann und das man nun zumindest für eine Weile dominieren will. Man weiß, dass es nicht für immer sein wird, verdrängt dies aber vor sich selbst.

Man ist auf dieser Ebene verblendet vom Licht. Man wähnt sich allmächtig und überlegen. Neo erlebt in Matrix Revolutions diese Ebenen des Lichts als er äußerlich blind geworden ist, er aber die Natur des Lichts als Verblendungsmechanik der Maya erfährt.

Im Bereich der zweiten Ebene werden wir geboren. In der Matrix ist dies der Bereich, in dem der Traum stattfindet und sich anfühlt, wie reales Leben. Das ist es aber nicht. Es ist die Maya, in der wir träumen. Von der Frau in Rot. Von der Angst vor den Agenten. Die Ebene des Überlebens.

Die dritte Ebene ist schließlich die Ebene des Fortbestandes. Wir wissen, dass wir sterben müssen, wollen aber etwas hinterlassen. Eine Möglichkeit dazu sind eigene Kinder. Diese Kinder gehen jedoch ihre eigenen Wege und lassen uns zurück.

Von daher suchen wir hier in unserem Schmerz nach weiteren Wegen, um Fortbestand zu erreichen. Wir widmen uns einem Werk, das größer als wir selbst sein soll. Wir schaffen eine Firma, die unseren Namen über den Tod hinaus bewahren soll.

Oder wir schreiben Bücher, die unseren Ruhm in der Nachwelt mehren sollen. Sei es durch literarische Figuren oder durch Philosophien und Weisheiten oder das, was wir dafür halten. Vielleicht wollen wir auch berühmte Wissenschaftler oder Feldherren werden.

Wir sehen jedenfalls, dass die 3 Ebenen und die 3 Selbste am gleichen Punkt beginnen. An der Grenze zwischen Herz und Kehle, an dem Punkt, der rechtsdrehend als Inkarnationspunkt die Ausgangsbasis für unsere Reise in die Individuation ist, was wir später im astrologischen Teil noch genauer kennenlernen und tiefer verstehen werden.

Linksdrehend ist dies der Todespunkt, an dem wir den Übergang vom Diesseits ins Jenseits erleben. Wir beginnen also am gleichen Punkt, bewegen uns jedoch in gegenläufige Richtungen, was auch dazu führt, dass wir komplett gegenläufige Erfahrungen auf diesen Wegen machen.

Was also das Mittlere Selbst in der Rechtsdrehung ist, entspricht der dritten Ebene, der Ebene des Fortbestandes in der Linksdrehung. Es geht um die Dimensionen 8 bis 5. Das Untere Selbst und die zweite Ebene, die Ebene des Überlebens, also die Dimensionen 4 bis 1 sind ebenfalls deckungsgleich.

Und auch das Hohe Selbst sowie die erste Ebene, die Ebene der Fremdbestimmung sind deckungsgleich, aber natürlich gegenläufig. In der Rechtsdrehung gehen wir jeweils rückwärts durch die Dimensionen, in der Linksdrehung vorwärts.

Zorn, Angst, Schmerz & Trauma in der Linksdrehung

Im vorigen Kapitel erwähnte ich die Emotionen Zorn, Angst & Schmerz als den drei Ebenen von Fremdbestimmung, Überleben & Fortbestand zugeordnet. Dazu gibt es allerdings noch einiges mehr zu sagen, was ich in diesem Kapitel nachholen möchte.

Wo bleibt denn in der Linksdrehung eigentlich die Liebe, fragst Du Dich jetzt vielleicht. Tatsächlich gibt es in der Linksdrehung keine Liebe. Je nach persönlicher Fixierung erlebst Du dies auch in Beziehungen, wo von Liebe die Rede ist.

Statt Liebe findet hier dann z.B. Fremdbestimmung statt. Der Partner oder man selbst erweist sich als fundamental zornig. Dann geht es darum, den jeweils anderen zu unterdrücken, also den Zorn als Fremdbestimmung auszuagieren.

Oder es geht ums Überleben in der Partnerschaft. Die Angst, sonst verlassen zu werden, lässt einen dann Dinge mitmachen, die man bei klarem Verstand niemals tun würde. Man wird von der Angst getrieben, oder hat einen Partner, der so tickt.

Der dritte Bereich ist der Fortbestand in der Partnerschaft. Da wird im Schmerz die Beziehung idealisiert, obwohl sie eigentlich die Hölle ist. Oder die Kinder werden zum wichtigsten Lebensinhalt, verschließen sich aber auch irgendwann, so dass noch mehr Schmerz entsteht.

Wir können die Linksdrehung also mit Fug und Recht als höllisch bezeichnen, wobei wir eben genau das nicht sehen sollen. Wir sollen lernen, „ja, aber“ zu sagen. „Ja, die Linksdrehung ist schon nicht einfach, aber es gibt Kaffee und Kuchen.“ Oder was auch immer eben das Suchtmittel der Wahl ist.

Zorn

„Vorsicht, Wut fühlt sich wie fliegen an, bevor man merkt, dass sie ein Sturz ist.“ Das schrieb Sten Nadolny in seinem Roman „Selim, oder die Gabe der Rede“. Diese Warnung enthüllt uns bereits sehr deutlich, worum es beim Zorn, bei der Wut oder beim Ärger grundlegend geht.

Ich bilde mir hochmütig ein, ich wüsste besser als das Leben, was hier passieren soll. Ich glaube also, über den Dingen zu stehen und zu wissen, wie es laufen sollte. Und unser Zorn, der sich daraus ergibt, ist natürlich immer gerecht.

Die anderen sind verkehrt, zu blöd, die anderen treiben Missbrauch, manipulieren mich und ich habe hier allen Grund, wütend zu sein. Schließlich bin ich unschuldig. „Du bist verkehrt, nicht ich. Sieh das doch endlich ein!“

Wichtig zu sehen ist eben auch, dass Zorn aus dem Kopf kommt. Die Geschichten, die wir uns hier erzählen, befeuern den Zorn. Wie in der berühmten Geschichte von Watzlawick aus „Anleitung zum Unglücklichsein: „Behalten Sie Ihren Hammer, Sie Rüpel!“

„Ein Mann will ein Bild aufhängen. Den Nagel hat er, nicht aber den Hammer. Der Nachbar hat einen. Also beschließt unser Mann, hinüberzugehen und ihn auszuborgen. Doch da kommt ihm ein Zweifel: Was, wenn der Nachbar mir den Hammer nicht leihen will? Gestern schon grüßte er mich nur so flüchtig. Vielleicht war er in Eile. Aber vielleicht war die Eile nur vorgetäuscht, und er hat etwas gegen mich. Und was? Ich habe ihm nichts angetan; der bildet sich da etwas ein. Wenn jemand von mir ein Werkzeug borgen wollte, ich gäbe es ihm sofort. Und warum er nicht? Wie kann man einem Mitmenschen einen so einfachen Gefallen abschlagen? Leute wie dieser Kerl vergiften einem das Leben. Und dann bildet er sich noch ein, ich sei auf ihn angewiesen. Bloß weil er einen Hammer hat. Jetzt reicht‘s mir wirklich! – Und so stürmt er hinüber, läutet, der Nachbar öffnet, doch bevor dieser »Guten Tag!« sagen kann, schreit ihn unser Mann an: »Behalten Sie Ihren Hammer, Sie Rüpel!«“

Aus »Anleitung zum Unglücklichsein«, S. 37–38 von Paul Watzlawick

In dieser kleinen Geschichte wird die Mechanik des Zorns hervorragend beschrieben. Wir reden uns solange im Kopf etwas ein, wie blöd der andere ist, bis wir vor lauter Empörung nicht mehr können und vor Wut platzen.

Auf diese Weise funktionieren natürlich auch ideologische Aussagen, die uns in den Medien immer wieder präsentiert werden und wo der Zorn von H+A+S=S extrovertiert geschürt wird! Immer wird mit dem Finger auf andere Leute gezeigt und Empörung geschürt.

Ein gutes gesellschaftliches Ventil, denn so kann man Leute dazu bringen, ihre Wut auf ideologisch gewünschte Themen zu lenken. Und sollten sie es dann zu bunt treiben, sie in ihrem H+A+S=S extrovertiert Zustand zu weit gehen, wertet man sie eben als „Wutbürger" ab.

Welche Emotion nehmen wir übrigens oft auch bei denjenigen wahr, die massive gesellschaftliche Fremdbestimmung betreiben? Was scheint einen Bill Gates, einen George Soros oder einst einen Mao, Stalin und Hitler anzutreiben? Immer wieder landen wir beim Zorn!

Angst

„Furcht der Pfad zur dunklen Seite ist." Meister Yoda

Wenn wir also genug Angst haben, gehorchen wir dem Bösen. Und haben wir nicht genau das in der Geschichte der Menschheit immer wieder erlebt? Menschen bekommen Angst vor einem autoritären Regime und unterwerfen sich, um zu überleben.

Das ist zumindest der Glaube dahinter. Wir sollen uns einbilden, wir seien sicher, wenn wir der Angst glauben und uns dem Bösen unterwerfen, das uns drangsaliert. Tatsächlich wurden ja im Auftrag von Leuten wie Stalin, Hitler und Mao Millionen Menschen in der Bevölkerung umgebracht!

Wir sehen also, dass Angst tatsächlich kein guter Rategeber ist, wie der Volksmund das ja schon seit langer Zeit postuliert! Angst macht alles eng und führt uns, wenn wir ihr glauben, in die Ohnmacht hinter H+A+S=S introvertiert!

Unter dem Einfluss von H+A+S=S introvertiert erleben wir uns als hilflos im Herzen, als autoaggressiv im Sakral und als selbstzweifelnd im Geist! Dass dieser Weg in die Selbstzerstörung führt, ist bekannt. Wir hassen am Ende uns selbst.

Wenn die Angst uns im Griff hat, lassen wir alles Mögliche mit uns machen. Sei es privat oder auch im gesellschaftlichen Leben. Wir nehmen Misshandlung hin, wir lassen uns abwerten und einsperren oder sogar töten.

Am Ende erzeugt die Angst also immer genau das, worauf sie sich gerichtet hatte! Wie es in der Bibel heißt: „Denn was ich gefürchtet habe ist über mich gekommen, und was ich sorgte, hat mich getroffen." Hiob, 3:25

Und natürlich wird uns religiös eingeredet, wir sollten Gott fürchten! Eine gute Rechtfertigung für jede Unterdrückung ist zu behaupten, das sei „Gottes Wille". In der Bibel stehe z.B. schließlich, „das Weib sei dem Manne untertan".

„Die Frauen seien ihren Ehemännern untertan, als gälte es dem Herrn; denn der Mann ist das Haupt der Frau, ebenso wie Christus das Haupt der Gemeinde ist, er freilich ist (zugleich) der Retter seines Leibes; dennoch, wie die Gemeinde (dem Herrn) Christus untertan ist, so sollen es auch die Frauen ihren Männern in jeder Beziehung sein." Epheser 5, 22-24

Angst lässt uns also viele Dinge hinnehmen und erdulden, die nichts mit dem Lebendigen und mit der Liebe zu tun haben.

Schmerz

„Jede Begierde ist ein Bedürfnis, das sich als Schmerz bemerkbar macht." Voltaire

Wenn wir etwas wollen, aber nicht bekommen, löst das also Schmerz aus. Wenn wir dann im Schmerz gefangen sind, glauben wir, dass er nie vorbeigehen wird. Wir suhlen uns darin und stellen fest, dass wir dadurch sogar Aufmerksamkeit bekommen! Warum ist das so?

Schmerz ist in unserer Gesellschaft die am meisten idealisierte Emotion.

„Der Schmerz ist der große Lehrer der Menschen. Unter seinem Hauche entfalten sich die Seelen", behauptete beispielsweise Marie von Ebner-Eschenbach.

Und natürlich ist die christliche Geisteshaltung hier sehr zentral mit beteiligt, den Schmerz weiter zu glorifizieren, wenn es heißt: „Denn euch ist es gegeben um Christi willen, nicht allein an ihn zu glauben, sondern auch um seinetwillen zu leiden." Philipper 1:29

Tatsächlich führt uns der Schmerz in den D+U+M=M Zustand oder hält uns dort. Wir werden unter dem Schmerz dumpf im Herzen, unklar im Bauch und erleben uns als minderwertig im Geist, was uns ins Mittelmaß führt.

Ob Schmerz also wirklich so ein toller Lehrer ist, wie Ebner-Eschenbach behauptete? „Wer nicht hören will, muss fühlen", weiß der Volksmund zu berichten. Und natürlich ist hier gemeint, Schmerz zu erleben.

Schmerz ist also ein Druckmittel. Der Stacheldraht oder der Elektrozaun um die Viehweide herum lässt die Rinder dort bleiben, obwohl der Schmerz keineswegs riesig wäre, wenn sie den Zaun umreißen und fliehen würden. Aber sie tun es nicht.

„Töte einen, um 1000 zu warnen", hieß es im alten China. Auch da ist es der Schmerz, den wir bei einer öffentlichen Bestrafung mitfühlen. Selbst, wenn jemand nicht getötet, sondern z.B. öffentlich beschämt wird, fühlen wir es mit.

Und dann wissen wir Bescheid, dass wir besser im D+U+M=M Zustand bleiben sollten, damit uns erspart bleibt, selbst diesen

Schmerz zu erleiden! Lieber dumpf im Herzen bleiben, als das Risiko einzugehen, selbst zu leiden!

Trauma

Natürlich stecken hinter allen diesen drei Emotionen Zorn, Angst und Schmerz in der Regel traumatische Erfahrungen. Wir sind also eingeladen, diese Emotionen zu transformieren. In meinem Buch „L+A+S=S los & L+E+B=E!“ hatte ich eine ausführliche Anleitung zum Sonne-Mond-Transformationsschlüssel veröffentlicht.

Dieser Prozess beschreibt die Transformation von H+A+S=S extrovertiert und H+A+S=S introvertiert in den L+E+B=E! Zustand durch einen bewussten Atemvorgang. In meinen Kursen zeige ich inzwischen auch einen Prozess, um den D+U+M=M Zustand in den L+E+B=E! Zustand zu transformieren.

Selbstverständlich können wir diese drei Emotionen Zorn, Angst und Schmerz auch mit der Traumaarbeit angehen, die ich im Kapitel „Dein Trauma konkret angehen“ gezeigt habe. Alle diese drei Emotionen sind nicht unser natürlicher Zustand. Daher sollten wir in ihnen nicht länger als nötig verweilen!

Liebe in der Rechtsdrehung

Während wir in der Linksdrehung die drei Emotionen Zorn, Angst und Schmerz kennengelernt haben, geht es in der Rechtsdrehung nur um die Liebe! Diese Aussage scheint oft geradezu utopisch zu sein. Vor allem, wenn wir gerade im Kapitel zuvor erfahren haben, was die Linksdrehung regiert.

Aber tatsächlich gibt es ihn dennoch, unseren natürlichen Zustand. Es gibt L+E+B=E!, auch wenn dieser Zustand in einer linksdrehenden Gesellschaft auf einem linksdrehenden Planeten geradezu aberwitzig erscheint.

Wobei das die linksdrehende Gesellschaft in der Regel ja kaum mitbekommt, denn sie redet ja viel von Liebe. Die Liebe ist ein regelrechter Kult in der Linksdrehung. Sie wird glorifiziert in Geschichten wie „Romeo & Julia“ oder „Tristan & Isolde“, wobei in Wirklichkeit ihr Scheitern gefeiert wird.

Außerdem wird ja auch permanent von Liebe in allen möglichen anderen Zusammenhängen gesprochen: Eltern lieben angeblich ihre Kinder, so wie Kinder angeblich ihre Eltern, dabei findet in diesem Umfeld die meiste Traumatisierung für das spätere Leben des Nachwuchses statt.

Aber nicht nur hier wird von Liebe geredet. Angeblich soll uns auch ein gewisser Gott, oder Jehovah oder Allah lieben, während die Herrschaften aber vor allem durch Gräueltaten aller Art auffallen, die nicht wirklich nach Liebe aussehen.

Und wenn das noch nicht reicht, gibt es noch die „Vaterlandsliebe“, die „Feindesliebe“, die „Liebe zum Beruf“, die „Liebe zum Sport“ oder was der Mensch sonst noch für Vorlieben in seinem Leben haben mag. All das sei angeblich „Liebe“.

Lass uns hier untersuchen, was Liebe wirklich ist. Liebe ist das Erleben völliger Bejahung, ein Zustand allumfassenden Wohlwollens, der nichts ausschließt. Liebe ist zudem ein Überfließen von Glückseligkeit und Kreativität, also Schöpferkraft.

Es geht hier also nicht mehr um persönliche Vorlieben und Abneigungen, die nur die linksdrehende menschliche Mechanik abbilden, sondern es geht um etwas viel Größeres, das sich uns in Liebe, Entschlossenheit & Bewusstheit, die zu Erfüllung und Erfolg führen zeigt.

Das ist der L+E+B=E! Zustand, unser natürlicher Zustand, der Zustand, aus dem wir einst gekommen sind. Uns dieses Zustandes wieder zu erinnern, ihm in uns Raum zu geben, wieder zu wachsen, das gibt uns ein Erleben von Sinn.

Im Menschen finden wir drei Ebenen von Liebe: Eine personale, eine präpersonale und eine post- oder transpersonale, die wir uns im nächsten Kapitel anschauen werden.

Personal, präpersonal & transpersonal auf den drei Ebenen & in den 3 Selbsten

Von Sigmund Freud stammt das vermutlich den meisten an Psychologie interessierten Menschen bekannte aus drei Komponenten bestehende linksdrehende Modell des Menschen, deren Bestandteile er „Ich“, „Über-Ich“ und „Es“ nannte.

Aus Freuds Sicht wird das „Ich“ ständig zwischen „Über-Ich“ und „Es“ unter Druck gesetzt. Mit dem „Über-Ich“ sind die moralisierenden Elternanteile gemeint. Mit dem „Es“ all das Perverse, dem sich das zivilisierte „Ich“ entgegenzustellen hat.

Wenn wir nun untersuchen, was personal bedeutet, erkennen wir schmerzhaft, dass wir diese Ebene in der Linksdrehung nie wirklich erreichen. Wir bilden uns ein, wir seien „jemand“, sind aber in Wirklichkeit nur fremdbestimmte Vehikel, die durch Kampf ums Überleben traumatisiert sind und den Fortbestand sichern sollen.

Präpersonal ist der Bereich des Überlebens, durch den wir angsterfüllt gegangen sind, um schließlich zur Gemeinschaft dazuzugehören. Der gesamte Bereich des Unbewussten gehört dazu. Alle archaischen Ängste und Wesenheiten.

Post- oder transpersonal ist der Bereich der Fremdbestimmung, in dem wir dem Zorn der uns prägenden Wesen ausgeliefert sind. Wir erkennen den Sinn nicht, warum sie uns nicht einfach lieben, sondern quälen. Die Eltern repräsentieren diesen Bereich für die meisten Menschen. Später auch Angehörige von Institutionen, denen wir unterworfen werden, wie Kindergarten, Schule, Universität.

Da ich nun die Begriffe personal, präpersonal und post- bzw. transpersonal eingeführt habe, wollen wir untersuchen, wo wir sie auf den drei Ebenen linksdrehend und in den drei Selbsten rechtsdrehend finden.

Linksdrehung

Um auf Freuds Modell zurückzukommen. Hier sieht es so aus, mit den drei Ebenen in Bezug auf seine drei Komponenten:

- Fremdbestimmung = Über-Ich
- Überleben = Es
- Fortbestand = Ich

Wenn wir das nun mit den Ebenen personal, präpersonal und transpersonal in Verbindung bringen, sieht es so aus:

- Fremdbestimmung = Über-Ich = transpersonal
- Überleben = Es = präpersonal
- Fortbestand = Ich = personal

In den Dimensionen sieht die Zuordnung dann linksdrehend so aus:

- Post- oder Transpersonal = Dimensionen 9 bis 12
- Präpersonal = Dimensionen 1 bis 4
- Personal = Dimensionen 5 bis 8

Auch die Zentren besitzen entsprechende Eigenschaften von personal, präpersonal und post- bzw. transpersonal:

- Post- oder Transpersonal = Kehle und Stirn
- Präpersonal = Wurzel und Sakral
- Personal = Solarplexus und Herz

Im Detail sieht das in der Linksdrehung dann so aus:

- Postpersonal = Kehle = Dimensionen 9 & 10
- Postpersonal = Stirn = Dimensionen 11 & 12
- Präpersonal = Wurzel = Dimensionen 1 & 2
- Präpersonal = Sakral = Dimensionen 3 & 4
- Personal = Solarplexus = Dimensionen 5 & 6
- Personal = Herz = Dimensionen 7 & 8

Wir gehen also linksdrehend durch zwei Stahlbäder: Zunächst durch den zornig moralisierend fremdbestimmten Bereich des

Transpersonalen und dann durch den beängstigend perversen auf Überleben ausgerichteten Bereich des Präpersonalen.

Die linksdrehenden emotionalen Zuordnungen auf den drei Ebenen finden wir hier:

- Transpersonal = Zorn = Dimensionen 9 bis 12
- Präpersonal = Angst = Dimensionen 1 bis 4
- Personal = Schmerz = Dimensionen 5 bis 8

Wir gehen tatsächlich zuerst durch die Hölle des Zorns, dann durch die Hölle der Angst, um dann zuletzt in der Hölle des Schmerzes zu landen.

Bevor wir also jemals die Chance haben, sowas wie ein persönliches Ich zu erfahren, sind wir schon mehrfach schwer traumatisiert und dadurch in unserem Charakter auch deformiert worden. Dieses Ich zeigt sich bei vielen Menschen daher erst nach ihrer Karriere!

Wenn ein Altkanzler Schmidt oder ein Altbundespräsident Weizsäcker dann Dinge sagen, die gegen den politischen Strom des Alltags gerichtet sind, liegt das eben auch daran, dass sie nun selbst nicht mehr Teil dieses Stroms sind.

Wir können dies in den letzten Jahren auch immer wieder beobachten, dass emeritierte Wissenschaftler sich kontroverse Meinungen zu vom wissenschaftlichen Mainstream eindeutig besetzten Themen zu erlauben wagen.

In der Linksdrehung geht es eben auch gar nicht anders, denn erst, wer durch die Phasen der Fremdbestimmung und des Überlebens durch ist, hat irgendwann das Recht, noch ein paar eigene Gedanken zu äußern.

Diese kommen ja aber auch eher nur noch als mahnendes Gewissen für die nachfolgenden Generationen daher, also als fremdbestimmender Über-Ich Aspekt für die Jüngeren, die dann mal betroffen mit dem Kopf nicken, danach aber weitermachen, wie bisher.

Rechtsdrehung

Nur in der Rechtsdrehung erschließt sich uns das wirkliche Potenzial von personal, präpersonal und post- oder transpersonal, denn hier wirken sie in den drei Selbsten kreativ und konstruktiv ineinander!

Hier erfahren wir im Erwachen, wie ein echtes personales Erleben hervortritt, das sich im weiteren Kontakt damit immer mehr vertieft und erweitert. Hier bildet sich in der Anthrosynthese die Essenz des Menschen heraus.

Der präpersonale Bereich ist hier der Bereich, der noch Mensch werden soll. Es sind die noch ungeformten Potenziale, denen wir hier begegnen. Bereiche, die wir uns vertraut machen dürfen, um sie dann auch als Ressourcen zur Selbstwerdung nutzen zu können.

Der post- oder transpersonale Bereich erschließt sich uns hier als Raum der Erleuchtung, der uns weit über die personalen und präpersonalen Räume hinausführt, die uns jedoch erst in die Lage versetzt haben, diesen transpersonalen Bereich zu entdecken.

Wir beginnen also auf der personalen Ebene mit dem Erwachen, erfahren dann die präpersonale Ebene, auf der wir Erwachsenwerden, um schließlich die transpersonale Ebene als Erleuchtung zu erfahren.

- Erwachen = personal
- Erwachsenwerden = präpersonal
- Erleuchtung = postpersonal

In den Zentren drücken sich die Eigenschaften von personal, präpersonal und post- bzw. transpersonal so aus:

- Personal = Solarplexus und Herz
- Präpersonal = Wurzel und Sakral
- Post- oder Transpersonal = Kehle und Stirn

Hier sind die Dimensionen dann wie folgt rechtsdrehend zugeordnet:

- Personal = Dimensionen 8 bis 5
- Präpersonal = Dimensionen 4 bis 1
- Post- oder Transpersonal = Dimensionen 12 bis 9

Im Detail sieht das dann so aus:

- Personal = Herz = Dimensionen 8 & 7
- Personal = Solarplexus = Dimensionen 6 & 5
- Präpersonal = Sakral = Dimensionen 4 & 3
- Präpersonal = Wurzel = Dimensionen 2 & 1
- Postpersonal = Stirn = Dimensionen 12 & 11
- Postpersonal = Kehle = Dimensionen 10 & 9

Wir sehen also, dass ein personales Selbst die Dimensionen 8 bis 5 umfasst. Die meisten Menschen beschäftigen sich mit diesen Dimensionen kaum oder gar nicht, glauben aber, eine „individuelle Persönlichkeit“ zu besitzen.

Dass dies eine folgenschwere Selbsttäuschung ist, versteht sich von selbst. Aber natürlich ist sie im Sinne der schmeichlerischen Einflüsterungen derjenigen, die uns energetisch ausbeuten, durchaus verständlich.

Wir sind also eingeladen, Herz & Solarplexus tief zu erforschen, um zunächst ein personales Selbst, ein individuelles Ich in uns zu erschaffen. Nur dann können wir danach die nächsten Schritte auf dem Weg der Anthrosynthese vollziehen.

Die drei Ebenen und drei Selbste in der indischen Mythologie

In Indien kennen wir das sogenannte Trimurti, also die drei Gesichter Gottes. Da gibt es Brahma, den Schöpfer, Vishnu, den Erhalter und Shiva, den Zerstörer.

Wenn wir uns erlauben, die Götternamen beiseite zu lassen, finden wir hier die Prinzipien Schöpfung, Erhaltung und Zerstörung wieder. Interessant ist nun die Reihenfolge, in der wir ihren Ablauf in Links bzw. Rechtsdrehung heute vorfinden!

Linksdrehung:

- Fremdbestimmung = Zerstörung
- Überleben = Schöpfung
- Fortbestand = Erhaltung

Wir sehen also, wie in der Linksdrehung der Mensch schon vor seiner Geburt zerstört wird! Es ist sehr wichtig, das zu verstehen! Die fortgesetzte Traumatisierung und Fragmentierung des Menschen wird in der Linksdrehung bereits vor der Geburt eingeleitet!

Wenn wir geboren werden, sind wir also keineswegs die unbeschriebenen Blätter, für die wir gehalten werden, sondern wurden in Wirklichkeit bereits zerstört! Und aus diesem zerstörten Wesen sollen wir nun, um zu überleben, etwas erschaffen!

So erschaffen wir also die falsche Persönlichkeit! In Star Wars können wir das gut beobachten, wie mittels des Zorns des Imperators durch Anakin Skywalkers Zerstörung Darth Vader geschaffen wird. Und die Erhaltung im Fortbestand führt letztlich dazu, dass er seinen Sohn Luke nicht tötet, sondern ihn rettet!

Es ist wichtig, dass wir das wirklich verstehen: Wir alle kommen fremdbestimmt, also bereits zerstört, auf diese Erde, wenn wir geboren werden. Und dann sollen wir aus diesen Trümmern etwas erschaffen! Wir erschaffen daraus die falsche Persönlichkeit.

Und im Fortbestand suchen wir dann, uns zu erhalten, indem wir Kinder zeugen oder etwas schaffen, was über unseren Tod hinaus bestehen soll, wie z.B. Kunstwerke oder eine Firma, die wir gegründet haben.

Dass auf diese Weise das Leben ziemlich dysfunktional abläuft, sowohl individuell als auch kollektiv, wird uns an dieser Stelle dann nicht wirklich überraschen. Was rechtsdrehend möglich ist, sollte uns jedoch Mut machen, in diese Richtung weiterzugehen!

Rechtsdrehung:

- Mittleres Selbst = Erhaltung
- Unteres Selbst = Schöpfung
- Hohes Selbst = Zerstörung

In der Rechtsdrehung kommen wir durch das Erwachen mit der Erhaltung in Kontakt. Wir sind bereit gewesen, zu sterben und haben dadurch das wahre Leben erhalten. Wie es in der Bibel heißt: „Denn wer sein Leben erhalten will, der wird's verlieren; wer aber sein Leben verliert um meinetwillen, der wird's finden.“ Matthäus 16:25

Oder um es mit dem deutschen Mystiker Jakob Böhme zu sagen: „Wer nicht stirbt, ehe er stirbt, der verdirbt, wenn er stirbt.“

Und aus diesem erhaltenen Leben wird nun in der Rechtsdrehung etwas geschaffen! Wir schaffen einen Körper, dem die Liebe ins Zellbewusstsein übergangen ist. Und erst, wenn wir ins Hohe Selbst aufsteigen, findet die Zerstörung statt.

Die Zerstörung aller noch vorhandenen Illusionen vergehen im Licht des Wirklichen.

12 DIMENSIONEN, 6 ZENTREN & 3 EBENEN BZW. SELBSTE IN LINKS- & RECHTSDREHUNG

DIE 12 DIMENSIONEN, 6 ZENTREN & 3 EBENEN IN DER LINKSDREHUNG

Nachdem wir nun bereits viel über die Dimensionen, die Zentren und die Ebenen erfahren haben, wollen wir uns in diesem Kapitel der Untersuchung widmen, auf welche Weise diese Bereiche linksdrehend miteinander verbunden und ineinander verwoben sind.

Wir haben in jeder der 3 Ebenen je zwei Zentren. Und jedes der 6 Zentren umfasst jeweils zwei Dimensionen. Jede der 3 Ebenen umfasst also vier Dimensionen.

Fremdbestimmung

Linksdrehend beginnen wir mit den Dimensionen 9 bis 12. Hier haben wir die Ebene der Fremdbestimmung. Dies ist der vorgeburtliche bzw. jenseitige Bereich, in dem der Mensch geprägt wird. An diesen Bereich haben die meisten Menschen keinerlei bewusste Erinnerung.

Die emotionale Grundlage der Fremdbestimmung ist Zorn. Ein tiefer Zorn auf das Lebendige selbst. Der Fremdbestimmende will das Lebendige in allen Menschen unter seine Herrschaft zwingen. Dazu ist ihm jedes Mittel recht.

Diese Ebene der Fremdbestimmung umfasst die Zentren Kehle und Stirn. Solange ein Mensch aus dieser Fremdbestimmung nicht erwacht ist, er also nicht „aus der Matrix befreit" wurde, denkt er nicht selbst und redet nur das, was ihm fremdbestimmt eingegeben wurde.

Ein solcher Mensch hat im Kopf eine Fülle von Gedanken, die jedoch alle nicht seine sind. Das begreift er jedoch nicht, sondern spricht sie in der Kehle aus, als wären es seine eigenen. Er glaubt, er hätte das gedacht, was er da redet.

Wir sehen also, dass die Fremdbestimmung die Kehle und die Stirn benutzt. Aber um welche Themen genau geht es linksdrehend in den einzelnen Dimensionen 9 bis 12, die mit Kehle und Stirn verbunden sind?

In der 9. Dimension geht es um Ideologie. Hier werden Glaubensmuster im Menschen angelegt, denen er sich unterwirft. Er glaubt, es sei „eine gute Sache", für die er sich einsetzt, während er in Wirklichkeit komplett fremdbestimmte ideologische Inhalte vertritt.

Diese Ideologien können religiöser Natur sein. Sie können aber auch politisch, ökonomisch oder soziologisch geprägt sein. Es liegt einzig an unserer eigenen ideologischen Prägung in der 9. Dimension, welchen Ideologien wir selbst näherstehen und welche wir ablehnen.

Ein Bereich des ideologischen Agierens ist z.B. auch die sogenannte Philanthropie. Hier wird sich selbst und anderen gegenüber suggeriert, man sei ein „Menschenfreund", während wir ja schon zu Beginn dieses Kapitels erfahren hatten, dass das Grundthema der Fremdbestimmung der Zorn auf das Lebendige und die Menschen ist.

In der 10. Dimension wird das Thema des Status geprägt. Hier geht es um vermeintliche Ziele, die der Mensch im Leben verfolgen soll. Tatsächlich geht es hier um den Status in der Gesellschaft. Dabei kann es um Titel gehen, wie z.B. einen Titel als Magister, Doktor, Professor zu haben.

Es kann aber auch um einen militärischen Rang oder ein politisches Amt gehen, die einem Status verleihen sollen. Natürlich verleihen auch leitende Posten in der Wirtschaft wie Vorstandsvorsitzender oder Aufsichtsrat einen Status.

Aber selbst auf einfachstem Niveau gibt es Status, wenn Jugendliche die Länge ihres Penis vergleichen, Frauen sich ihre Brüste vergrößern lassen oder jemand in seiner Nachbarschaft zum Blockwart ernannt wird.

Nicht jeder Status ist unbedingt öffentlich. Es gibt auch Bereiche, in denen der Status geheim bzw. nur einer kleinen Gruppe von

Eingeweihten bekannt ist. Bei Spitzeln ist dies z.B. der Fall. Aber auch bei Logenmitgliedern.

Diese beiden Dimensionen 9 und 10 sind mit der Kehle verbunden. Es geht dabei um gehorchen und sprechen. Man sagt etwas, das ideologisch dem Bereich entspricht, den man unterstützt. Dadurch erhöht man seinen Status in der Firma, Partei, Kirche oder welcher Organisation auch sonst.

In der 11. Dimension geht es um die Prägung auf das Thema der Gesellschaft. In welcher Weise man die Gesellschaft sieht, wird hier geprägt. Ob man sich für sie einsetzen will, also z.B. Ungerechtigkeiten in der Gesellschaft beseitigen oder zum eigenen Vorteil ausnutzen will, zeigt sich hier.

Hier geht es auch um bevorzugte Gesellschaftssysteme, auf die man geprägt wird. Zieht einen eher die Freiheit in der Gesellschaft an, oder geht es einem eher um Gleichheit? Das könnte natürlich schon aus den ideologischen Ausrichtungen in der 9. Dimension her festgelegt sein.

Wenn man ideologisch eher libertär geprägt ist, werden einem die verfügbaren Freiheiten in der Gesellschaft nahestehen. Ist man ideologisch eher sozialistisch geprägt, wird man der Gleichheit in der Gesellschaft etwas abgewinnen können.

In jedem Fall geht es hier um gesellschaftliche Ideale, die man verfolgt, weil man von ihnen durch das überwältigende Licht der 11. Dimension geblendet bzw. verblendet ist. Man glaubt aber, so einer Art höherem Zweck zu dienen und zum Wohle der Zukunft einer besseren Welt zu handeln.

Die 12. Dimension schließlich prägt uns auf das Thema des Himmels. Ein bestimmtes Bild eines numinosen Jenseits entsteht hier in uns. Ob es dabei um ein religiöses, ein agnostisches oder ein atheistisches Bild handelt, liegt bei der jeweiligen Prägung.

Die Art und Weise der Sehnsüchte des Menschen wird hier auch geprägt. Was zieht ihn oder sie an? Manch einer mag sich im Himmel wähnen, wenn er leckere Speisen jeder Art bekommt, für andere ist Wohlbehagen der Himmel, wieder andere glauben, unendlich verfügbarer Sex sei das Himmelreich für sie.

Einige sehnen sich einfach nach Ruhe, Stille und innerer Versenkung, andere wollen mit der Harfe auf einer Wolke sitzen und den lieben Gott lobpreisen. Hier werden oft auch Geheimnisse geprägt, also der verbotene Himmel, die verbotenen Früchte, nach denen man sich sehnen soll.

Die 11. und 12. Dimension sind mit dem Stirnzentrum verbunden. Es geht also um den Kopf des Menschen und um das Thema der Intuition, die zur Gewinnung von Macht und Einfluss in Gesellschaft oder auch im Himmel genutzt werden soll.

Für einen religiösen Selbstmordattentäter sollen dann ja z.B. im Himmel die Belohnungen in Form von 72 ihm sexuell ergebenen Jungfrauen folgen. Aber auch der gewöhnliche Christ glaubt ja, durch ein „gottgefälliges“, also komplett fremdbestimmtes Leben, seinen Platz im Himmel zu sichern.

Wir sehen also, dass die Fremdbestimmung die Zentren Kehle und Stirn umfasst und die Dimensionen 9 bis 12, wobei es hier um Ideologie (9), Status (10), Gesellschaft (11) und Himmel (12) als Fixierungen geht.

Überleben

Schließlich werden wir nun geboren, fremdbestimmt und ahnungslos wie wir sind. Und damit landen wir auf einer ganz anderen Ebene, auf der Ebene des Überlebens. Diese Ebene umfasst die Dimensionen 1 bis 4.

Dies ist der Bereich des Heranwachsens und sich seinen Platz in der Gemeinschaft Sicherns. Das zentrale Thema dabei ist Überleben. Die Emotion, die uns treibt, ist die Angst. Wir erfahren hier, was Todesangst ist.

Die Ebene des Überlebens umfasst die Zentren Wurzel und Sakral. Hier sind wir von Instinkten und Empfindungen getrieben und suchen panisch nach Halt und Sicherheit in einer Umwelt, die wir als feindselig erfahren.

Von den Sinnen her geht es hier um das Riechen in der Wurzel und das Schmecken im Sakral. Was so riecht wie Mama und was so schmeckt, wie ihre Muttermilch verspricht uns ganz zu Beginn nach der Geburt Sicherheit.

Und auch später stellen wir fest, dass wir bestimmte Gerüche mit Geborgenheit verbinden, während andere, die mit angsteinflößenden Erlebnissen verbunden sind, uns direkt abstoßend erscheinen mögen. Ebenso wird der Geschmack des Essens, das eine zugewandte freundliche Mutter zubereitet hat, dem betreffenden Menschen immer wieder Wohlbehagen bereiten.

In der 1. Dimension finden wir nun den Drang, zu machen! Ein Baby ist immer in Bewegung, wenn es wach ist, entdeckt zunehmend seine Fähigkeiten durch machen. Die Hand kann man sich doch in den Mund stecken, oder? Mit den Füßchen kann man strampeln. Das erste Lächeln beim Anblick der Mama.

Aber hier geht es auch später immer so weiter. In dieser ersten Dimension haben wir ständig den Drang, Neues anzufangen. Es ist uns im Grunde auch gleich, ob wir das jemals fertigstellen werden! Es geht nur ums Beginnen.

Mit der Zeit wird aus dem Machen dann oft auch ein Muster, um andere Menschen zu befriedigen. Es ist ja so viel physische Energie da. Dann kann ich doch für meinen Mann was kochen, auch wenn ich grad müde bin oder keine Lust habe.

Oder ihm sexuell gefällig sein, damit er mich nicht allein lässt. Denn davor habe ich ja in dieser ersten Dimension Angst. Ich mache also all das, was ich glaube, dass es meinem Umfeld gefällt, um zu überleben. Um nicht verlassen oder verstoßen zu werden.

In der 2. Dimension geht es ums Raffen. Wir wollen um jeden Preis überleben und stellen bald fest, dass satt sein eine gute Grundlage fürs Überleben bildet. Daher definiert sich in dieser 2. Dimension die Art und Weise, wie wir das bekommen, was wir zum Überleben brauchen.

Hier sehen wir, ob wir darauf konditioniert werden, übergewichtig zu werden. Was einfach einer von vielen Überlebensmechanismen ist. Wenn wir dick sind, haben wir den Vorrat für schlechte Zeiten dabei, so glauben wir unbewusst.

Tatsächlich geht es eben auch hier um Todesangst, die betäubt werden soll. Auf mehreren Ebenen. Wenn ich sie nicht mehr spüre, weil ich total vollgefressen bin, gehts mir vermeintlich gut. Ich will hier also Sicherheit durch materielle Dinge.

Später im Leben ist das dann z.B. auch Geld oder Besitz, was diese Sicherheit in der zweiten Dimension vermitteln soll. Auch ob wir einen guten Instinkt für den Erhalt und das Ansammeln von Besitz haben, zeigt sich hier.

Diese beiden Dimensionen 1 und 2 gehören zum Wurzelzentrum, also zur Ebene des Instinktes. Hier wollen wir überleben, indem wir machen und raffen. Es geht also körperlich um den Bereich des Beckens.

Diese beiden Dimensionen sind sehr eng mit den Themen Flucht oder Kampf, also „Flight or Fight" verbunden. Es geht darum, uns instinktiv als sicher oder unsicher zu erleben. Worauf auch immer wir als kleine Kinder konditioniert wurden, wird unser weiteres Leben bestimmen!

In der 3. Dimension geht es um einen gewissen verbissenen Ehrgeiz. Wir wollen lernen, um mit dem Gelernten dann endlich dazuzugehören. Wir entfalten unsere Anlagen. Wir entdecken Talente. Was fällt uns leicht?

Ich überlebe, indem ich etwas kann. Das ist das Motto dieser 3. Dimension. Wir sind neugierig und probieren uns aus. Wir lernen dazu und stellen fest, dass wir das Gelernte auch schnell anfangen, weiter zu geben.

Wenn das ältere Geschwister sich selbst einen Apfel schälen kann, macht es das der gestressten Mama zuliebe dann auch für sein jüngeres Geschwister und zeigt ihm eben auch, wie es sich die Schuhe binden kann.

Es liest dem jüngeren Geschwister vor und später merkt es, dass es empfindet, was andere Menschen brauchen. Es lernt dann die Dinge zu wissen, die andere Menschen brauchen und was sie dann z.B. auch beruflich machen.

Wir lernen also in der 3. Dimension, um zu überleben. Es geht um praktische Dinge, die mit dem Überleben in der Gemeinschaft zu tun haben. In der 3. Dimension sind wir so praktisch, dass wir gar nicht spüren, ob es nicht zu viel für uns wird oder über unsere Grenzen geht.

In der 4. Dimension geht es ums Dazugehören. Nach all dem Überlebenskampf bin ich endlich jemand: Eine falsche Persönlichkeit. Die Karikatur eines Menschen. Nachdem ich zuvor gelernt hatte zu machen, zu raffen und zu lernen, gehöre ich jetzt endlich dazu.

Und diese Zugehörigkeit will ich nun auch nicht wieder hergeben. Sie gibt mir ja nun endlich Sicherheit. Also lass ich das auch nicht mehr los, was mir hier das Überleben sichert. In dieser 4. Dimension bin ich von heftigen Verlustängsten getrieben.

Ohne das vertraute Umfeld zu sein, für das ich so intensiv sorge, damit es allen gut geht und ich dadurch meinen Platz gesichert habe, kann mich in große Angst versetzen. Dadurch bin ich also extrem anhänglich und will am liebsten alle immer um mich haben.

Die Welt in dieser vierten Dimension kann erdrückend eng werden, wenn die hier bestehenden Ängste nicht konfrontiert werden. Andere Menschen ziehen sich dann oft zurück, wenn sie feststellen, dass sie eigentlich nur dazu da sind, dass man keine Angst hat.

Dazugehören ist also das tief empfundene Ziel in der vierten Dimension. Eine Sicherheit, die das Überleben garantieren soll. Das Problem dabei ist, dass irgendwann die anderen Menschen merken, dass sie gar nicht gemeint sind. Oder man auch selbst bemerkt, dass man nur aus Gründen der Sicherheit mit jemandem zusammen ist, den man gar nicht wirklich mag.

Die 3. und 4. Dimension sind beide mit dem Sakralzentrum verbunden. Hier geht es um den Unterbauch und die Ebene des Empfindens. Hier wollen wir überleben, indem wir lernen und dazugehören.

Wir haben nun gelernt, dass die Ebene des Überlebens die beiden Zentren Wurzel und Sakral umfasst, also Instinkt und Empfinden, sowie die Dimensionen 1 bis 4, wobei es hier ums Machen (1), ums Raffen (2), ums Lernen (3) und ums Dazugehören (4) geht.

Fortbestand

Nun kommen wir zum dritten und letzten Bereich der Linksdrehung, zum Fortbestand! Hier geht es um die Dimensionen 5 bis 8. Es geht dabei natürlich auch um Fortpflanzung. Aber längst nicht nur das! Es geht um den Fortbestand unserer falschen Persönlichkeit.

Wir befinden uns jetzt in der Welt derer, die sich für erwachsen halten, ohne es je geworden zu sein. Die Emotion, die uns hier antreibt, ist der Schmerz. Wir wissen um unsere Endlichkeit, verdrängen sie aber. Wir wissen auch, dass die Zeit mit unseren Kindern begrenzt ist. Aber wir suchen nach Ewigkeit, wo sie nicht zu finden ist.

Die Zentren, um die es auf dieser Ebene des Fortbestandes geht, sind Solarplexus und Herz. Hier geht es um Fühlen und Denken im Menschen. Beides Dinge, die wir in der Linksdrehung nie wirklich gelernt haben und in der Regel auch nicht lernen werden.

Die Sinne, denen wir hier begegnen, sind das Sehen im Solarplexus und der Tastsinn, das Berühren, im Herzen. Wir wollen das, was wir sehen, auch anfassen, also uns einverleiben. Es geht nicht mehr ums Dazugehören. Es geht um die eigene Größe, die durch Andere bewiesen werden soll.

In der 5. Dimension geht es unmittelbar um die Fortpflanzung. Wir wünschen uns also Fortbestand der eigenen Existenz durch unsere Kinder. Früher oft auch der Stammhalter, der den Hof erben oder den Handwerksbetrieb des Vaters weiterführen sollte.

Auf einer anderen Ebene heute ja auch noch der Sohn, der die Firma des Vaters erben und weiterführen soll. Aber immer öfter widersetzen sich die Kinder diesen Ambitionen der Eltern und wollen lieber eigene Wege gehen.

Es geht aber bei der Fortpflanzung in der 5. Dimension längst nicht nur um Kinder! Alles, was wir hervorbringen können, soll unseren Fortbestand sichern. Auf der künstlerischen Ebene kann das die Schaffung von Werken sein, wie Kompositionen, Bilder oder Skulpturen.

Aber eben auch die Firma, die ich gründe und die mich überdauern soll, ist in der 5. Dimension zu finden. Auch ideelle Gründungen wie Vereine oder Stiftungen, die vielleicht dann sogar noch den Namen des Gründers tragen, gehören in diese Kategorie.

Wir wissen also um unsere Sterblichkeit, wollen sie aber durch die Schaffung von Kindern, Kunstwerken oder Institutionen kompensieren, so dass wir über unseren Tod hinaus in diesen Wesen oder Dingen weiterbestehen.

In der 6. Dimension geht es dann ums Funktionieren. Wir werden zu Sklaven der schmerzhaften Sehnsucht nach Fortbestand. Wir stellen fest, welch immensen Zeitaufwand unsere Kinder erfordern. Unsere Firma scheint uns aufzufressen.

Aber wir funktionieren weiter, als seien wir Automaten. Nur, wenn die Gesundheit nicht mehr mitmacht, lernen wir, für einen Moment innezuhalten. Und wieder überkommt uns der Schmerz, das Wissen um die eigene Sterblichkeit.

Die Vergeblichkeit unserer Werke könnte uns bewusst werden. „Es ist alles eitel und haschen nach Wind" hören wir den Prediger sagen. Aber wir raffen uns wieder auf, um weiter zu funktionieren. Wir haben ja so viele Verpflichtungen.

Und all diese Last der Verpflichtungen gibt uns natürlich auch dieses Gefühl von Wichtigkeit. Wir glauben, wir hätten so eine Bedeutung auf dieser Erde, indem wir „unsere Pflicht tun", was aber oft mit einer erheblichen Ernüchterung und vielleicht sogar Sehnsucht nach dem Tod einhergeht.

Diese beiden Dimensionen 5 und 6 gehören zum Solarplexus. Wir sollen hier lernen, zu fühlen, sind aber linksdrehend so überwältigt von Fortpflanzung und Funktionieren, dass wir kaum dazu kommen, jemals zu beginnen, wirklich zu fühlen.

In der 7. Dimension geht es ums Harmonisieren. Wir haben endlich die Tretmühle hinter uns oder sind zumindest an einem Punkt, dass wir nicht mehr den ganzen Tag mit Nachwuchs und Alltagsgeschäft zu tun haben.

Daher widmen wir uns nun im Herzen der Diplomatie. Wir wollen etwas Schönes schaffen und das Erreichte bewahren. Dabei kann es nun auch um lästige Konkurrenz gehen, die sich im gleichen Feld austoben will, wie wir.

Wo kämen wir denn da hin, wenn jeder machen könnte, was er will? Wir werden also in dieser 7. Dimension durchaus intrigant oder müssen uns Intrigen erwehren. Wir wollen auch gern die Harmonie in der Familie genießen, die es faktisch nie gab, weil wir ja viel zu beschäftigt waren.

Wir erkennen also, dass wir auch mit Familie und Freunden nun diplomatischer werden, aber nicht unbedingt immer rechtzeitig. Der Schmerz über verpasste Gelegenheiten im Herbst unseres Lebens peinigt uns.

In der 8. Dimension schließlich geht es linksdrehend ums Sterben. Wir wissen nun, dass es zu Ende geht. Und all das, was wir nicht vermocht haben, kommt nun als Selbstzerfleischung auf uns zurück. Nichts, was uns einst bedeutsam erschien, hat noch Gültigkeit.

Wir müssen unser Erbe und unsere letzten Angelegenheiten regeln. Und wir beginnen uns zu fragen, wie wir drüben aufgenommen werden. Das große Heulen und Zähneklappern setzt ein. Wäre es nicht vielleicht doch besser gewesen, sich zu Lebzeiten mit dem Ewigen zu beschäftigen?

Unser Herz macht nicht mehr wirklich mit. Wir spüren, wie uns die Dinge mehr und mehr entgleiten. All das, was wir geglaubt hatten, kontrollieren und festhalten zu müssen, fängt an, sich aufzulösen. Die Sinnlosigkeit unserer linksdrehenden Existenz wird uns schmerzhaft bewusst.

Wie kann es sein, fragen wir uns, dass wir unser Leben lang gemacht und gerackert haben und am Ende unsere Pläne, unseren vermeintlichen Fortbestand zu sichern, so kläglich gescheitert sind, dass wir beschämt dem Ende entgegen sehen und glauben, der Verdammnis entgegen zu gehen.

Die Dimensionen 7 und 8 gehören zum Herzen. Hier sollten wir eigentlich lernen, zu denken. Selbständig aus dem erwachten Herzen zu denken. Aber wir haben die Gelegenheit in der Linksdrehung vergeudet.

Wir wollten berühren und festhalten, was wir gesehen und begehrt hatten. Aber schließlich erkennen wir, dass uns das alles entgleitet und dass in der Linksdrehung alles auf den Tod hinausläuft.

Hier haben wir gelernt, dass die Ebene des Fortbestandes die Zentren Solarplexus und Herz umfasst, also Fühlen und Denken, sowie die Dimensionen 5 bis 8, wobei es hier um Fortpflanzung (5), Funktionieren (6), Harmonisieren (7) und Sterben (8) geht.

Die Verben der Sprache der Liebe

Bevor wir nun im nächsten Kapitel zu den 12 Dimensionen, 6 Zentren & 3 Selbste in der Rechtsdrehung kommen, möchte ich Dir in diesem Kapitel zeigen, wie die in der Linksdrehung nur als Karikaturen ihrer selbst vorliegenden Verben der Sprache der Liebe in der Rechtsdrehung wirken.

In der Linksdrehung hörten wir im Bereich „Überleben" vom Machen, vom Raffen, vom verbissenen Lernen und vom Dazugehören. Diese Vier zeigen sich uns in der Rechtsdrehung dann als die Verben der Sprache der Liebe und zwar als SEIN, WERDEN, HABEN und TUN!

- Das SEIN ist also die rechtsdrehende natürliche Form des linksdrehenden Dazugehörens.
- Das WERDEN ist die rechtsdrehende Form des linksdrehenden Lernens.
- Das HABEN ist die rechtsdrehende natürliche Form des linksdrehenden Raffens.
- Das TUN ist die rechtsdrehende natürliche Form des linksdrehenden Machens.

Die Verben der Sprache der Liebe und die Elemente

Es handelt sich bei diesen Verben der Sprache der Liebe um Grundfunktionen des Lebendigen. In der Renaissance und auch im astrologischen Zusammenhang, den wir nachher noch ergründen werden, werden diese Grundfunktionen des Lebendigen auch als „die vier Elemente" bezeichnet!

- Das SEIN entspricht dem Element Wasser
- Das WERDEN entspricht dem Element Luft
- Das HABEN entspricht dem Element Erde
- Das TUN entspricht dem Element Feuer

Im weiteren Verlauf werden wir sehen, dass die vier Verben der Sprache der Liebe rechtsdrehend auch genau in dieser Reihenfolge auftreten! Daher ergibt es auch Sinn, was Gurdjieff einst zu dem Thema gegenüber seinem Schüler Ouspensky bemerkte:

„Um zu tun, muss man zuerst sein. Und dazu muss man zuerst einsehen, was sein bedeutet.“ – Alles beginnt also mit dem SEIN und endet mit dem TUN.

Das Bild der Entwicklung eines Schmetterlings verdeutlicht das sehr schön: Es beginnt mit dem Ei, das einfach IST. Da haben wir also das SEIN. Aber wenn es nicht beginnt zu WERDEN, wird es sterben. Es WIRD daher zur Raupe, frisst und frisst und verpuppt sich schließlich.

Es HAT also ein Haus gebaut. Den Kokon. Und schließlich hat in diesem Kokon die letzte Transformation stattgefunden. Der Schmetterling schlüpft und kann nun TUN, was seine Bestimmung ist: Er fliegt und taumelt durch die Gegend, wobei er die Menschen bezaubert.

Yin & Yang in den Elementen und den Verben der Sprache der Liebe

In den Verben der Sprache der Liebe erkennen wir wie in den vier Elementen aber auch noch Yin und Yang. Wir haben also zwei Yin-Elemente und zwei Yang-Elemente. Ebensolches gilt für die Verben. Auch da sind zwei yin und zwei yang!

Yin heißt bei den Elementen, es ist passiv, empfänglich und ruht in sich, wenn keine Impulse von außen kommen. Die Yin-Elemente sind Wasser und Erde! Wobei Wasser das obere Yin ist, das Yin des Kosmos, genauer gesagt. Und Erde ist das untere Yin. Das Yin der Erde.

In einem Baum ist das obere Yin die Krone und das untere Yin sind die Wurzeln. Den Yang-Bereich des Baumes bildet der Stamm. Und hier wirken beide Yang-Elemente, Luft wie Feuer! Aber entgegengesetzt!

Die Luft ist das absteigende Yang, während das Feuer das aufsteigende Yang ist! Durch die Luft will also etwas Materie werden. Der Baum bildet z.B. den bei weitem größten Teil seiner Masse, indem er Kohlendioxid einatmet, den Kohlenstoff in seinem Stamm bindet und den Sauerstoff wieder freisetzt!

Und Feuer ist das aufsteigende Yang, der Weg in die Vergeistigung. Im Baum führt es aus der Wurzel (Erde/HABEN) den Stamm entlang hinauf in die Krone zum Wasser und zum SEIN.

Wir haben also Wasser/SEIN in der Krone als oberes Yin, dann das absteigende Yang der Luft und des WERDENs den Stamm hinab zur Wurzel, wo wir die Erde und das HABEN als unteres Yin finden. Von dort geht es im aufsteigenden Yang des Feuers und TUNs wieder hinauf zur Krone!

Die Verben der Sprache der Liebe sind die Grundlage der Schlüssel der Liebe

Warum erzähle ich Dir das jetzt? Weil die im nächsten Kapitel eingeführten 12 Schlüssel der Liebe auf den hier genannten vier Verben der Sprache der Liebe basieren. Wir könnten also die Schlüssel der Liebe nicht in ihrer Tiefe verstehen, wenn wir die vier Verben nicht kennen würden.

Zentral wichtig ist hier eben wirklich, diese Verben als „Tunwörter" zu verstehen, wie wir das in der Grundschule wahrscheinlich alle gelernt hatten. Es geht also um Aktivitäten des Lebendigen, die mit diesen Verben der Sprache der Liebe beschrieben werden.

Meist verstehen wir Sprache nur sehr abstrakt. Und wir halten durch unsere linksdrehende Prägung Handlungen auch für weitgehend beliebig. Das sind sie aber nicht. Rechtsdrehend sind sie das nicht. Daher ist es wichtig zu verstehen, dass wir durch den Eintritt in die Rechtsdrehung anfangen, Sinn und Bedeutung in unser Leben zu bringen!

Wir werden zu Wesen, durch die das Lebendige konkret in Form der Verben der Sprache der Liebe handelt. „Ich BIN" ist eine gewaltige Aussage! Mit dieser Erkenntnis fängt alles an! „Ich BIN, der ich BIN" soll der biblische Gott gesagt haben.

Interessanterweise gibt es in esoterischen und spirituellen Lehren eine Menge Vorbehalte gegen alle anderen Verben als das Sein! Oft wird das Sein dort glorifiziert, aber z.B. das Werden abgewertet, wie bei Krishnamurti. Oder das Haben wird abgewertet, wie bei Erich Fromm. Und das Tun ist letztlich allen verdächtig.

Das nimmt dem Menschen die Kraft. Wir sind eingeladen, alle vier Verben der Sprache der Liebe im Kontext zu verstehen und nicht das Ei des SEINs sterben zu lassen, weil wir uns nicht ans WERDEN gewagt haben.

Und genau darum geht es nun also im nächsten Kapitel! Wagen wir uns an die konkrete Umsetzung der Verben der Sprache der Liebe heran. Konkrete Umsetzung verlangt nicht nur Verben, sondern auch ein Subjekt. Bist Du bereit, bewusst dieses Subjekt in Deinem Leben zu SEIN und zu WERDEN?

DIE 12 DIMENSIONEN, 6 ZENTREN & 3 SELBSTE IN DER RECHTSDREHUNG

Nachdem wir also im vorletzten Kapitel erfahren haben, wie die 12 Dimensionen, 6 Zentren und 3 Ebenen im heutigen Solaren Menschen linksdrehend miteinander verwoben sind, wollen wir in diesem Kapitel untersuchen, wie es in der Rechtsdrehung aussieht!

Hier geht es nicht um 3 Ebenen, sondern um das Potenzial, 3 Selbste in uns zu schaffen! Wichtig dabei ist zu verstehen, dass diese 3 Selbste entstehen und mit Leben erfüllt werden, wenn wir sie aktiv entwickeln und miteinander in Beziehung setzen.

Wir haben dann in jedem der 3 Selbste je zwei Zentren. Und jedes der 6 Zentren umfasst jeweils zwei Dimensionen. Jedes der 3 Selbste umfasst also vier Dimensionen. Das Mittlere Selbst enthält Denken und Fühlen in Herz und Solarplexus.

Das Untere Selbst enthält Empfinden und Instinkt in Sakral und Wurzel, während das Hohe Selbst Intuition und Inspiration in Stirn und Kehle beinhaltet!

Erwachen

Hier beginnt alles in der 8. Dimension im Herzen im Mittleren Selbst, wo es ums Denken geht. Und alles beginnt mit dem Erwachen.

Mit unserem Erwachen. Mit unserer eigenen Aktivität. Während also die Abläufe in den 12 Dimensionen in der Linksdrehung komplett automatisch ablaufen, erfordert der Eintritt in die Rechtsdrehung unsere eigene aktive und andauernde Mitarbeit.

Vermutlich ist es das, was so viele Menschen davon abhält, sich dieser Arbeit der Anthrosynthese bzw. der Individuation zu widmen. Aber Lebendigkeit hat ihren Preis. „Nur tote Fische schwimmen mit dem Strom", heißt es daher treffend im Volksmund.

Sich in einer linksdrehenden Gesellschaft, die sich weitgehend im Tiefschlaf befindet, auf den Weg der Rechtsdrehung zu machen, ist zweifellos auf einer Ebene anstrengend. Und zwar für unsere linksdrehenden Muster.

Es ist nicht wirklich anstrengend für DAS, was wir wirklich SIND! Im Gegenteil. Hier erfahren wir eine große Erleichterung, wenn wir uns DEM endlich zuwenden, was wir wirklich SIND! Unser Herz öffnet sich in nie gekannter Weise, wenn wir erwachen.

Worin liegt nun die Anstrengung in der Praxis der Rechtsdrehung? Müssen wir Gewichte heben? Natürlich nicht! Müssen wir uns ein Loch in den Schädel bohren, wie das manche tibetische Mönche früher taten, um ihr „drittes Auge zu öffnen"? Nein, natürlich auch nicht!

Die einzige Anstrengung liegt darin, das Vorgefundene beständig in Frage zu stellen! Wir sagen ja gewohnheitsmäßig „ich", nicht wahr? Und deshalb stellen wir dieses Ich in Frage! Wir fragen in der 8. Dimension im Herzen: „Wer BIN ich?"

Wir erkennen hier also das erste Verb der Sprache der Liebe wieder, das SEIN. Und so entsteht der erste Schlüssel der Liebe. Zur Liebe bekommen wir Zugang durch Fragen. Antworten sind die Domäne der Angst! Deswegen gibt die Linksdrehung immer Antworten.

Wir fragen in der 8. Dimension also „Wer BIN ich?" und glauben nicht den Antworten, die uns der Verstand direkt gibt. Das ist sehr zentral, um Zugang zum SEIN zu erhalten. Es gilt hier, den Widerstand der Angst auszuhebeln, indem wir ihm nicht glauben.

Dann folgt der innere Zugang zum SEIN von selbst. Und natürlich umso tiefer, je häufiger und ernsthafter wir die Schlüssel der Liebe anwenden. Nicht nur diesen ersten! Dieser erste Schlüssel öffnet uns die Tür ins Herz.

Aber erst der zweite Schlüssel bringt uns auf den Weg! Nachdem wir also in der 8. Dimension gefragt hatten „Wer BIN ich?" fragen wir nun in der 7. Dimension: „Bin ich bereit, zu WERDEN, was ich BIN?" Hier stellen wir nun fest, dass es sich um eine ganz andere Frage handelt als die erste.

Ich nenne dies auch den Yin- und den Yang-Schlüssel, denen wir hier begegnen. Schauen wir hin, was Yin und was Yang in den Fragen bedeutet: Der Yin-Schlüssel ist eine offene Frage, während der Yang-Schlüssel eine Ja/Nein-Frage ist.

Die erste Frage war eine offene Frage. „Bin ich bereit, zu WERDEN, was ich BIN?" ist hingegen eine Ja/Nein-Frage! Es gibt hier zwar auch mehrere Antwortmöglichkeiten, aber letztlich stellen wir fest, dass alle Antworten außer „Ja“ nur Abstufungen von „Nein“ sind.

Und am Ende des Tages war jede Abstufung von „Nein“ ein Nein. Wir werden also den Weg nur beginnen, wenn wir ein „Ja“ auf diese Frage bekommen. Und damit meine ich auf keinen Fall, dass Du Dich in irgendeiner Weise zu einem „Ja“ zwingen solltest!

Jeglicher Zwang zerstört die Rechtsdrehung und führt in die Linksdrehung zurück. Das können wir täglich auf diesem Planeten beobachten, wie bei jeder schönen Idee am Ende alles kaputt gemacht wird, sobald Zwang ins Spiel kommt.

Wenn ein „Nein“ auf diese Frage auftaucht, ist es also Zeit, Dich freundlich und liebevoll dem zu widmen, was Dich davon abhält, „Ja“ zu der Liebe zu sagen, die Du in der 8. Dimension im Herzen gefunden hast.

Nach meiner Erfahrung gibt es nur einen Grund, nein zur Liebe zu sagen: Angst! Und Angst vor der Liebe zu haben, das haben wir als Kinder gelernt!

„Wir alle sind Riesen, die von Zwergen erzogen wurden und sich deshalb angewöhnt haben, stets mit einem Buckel herumzulaufen“, schrieb der geniale Robert Anton Wilson einst. Wir könnten das auch anders beschreiben:

Wir wurden von traumatisierten Menschen erzogen, die ihre eigenen Traumata (also ihren Buckel) für eine nützliche Errungenschaft im Umgang mit der von ihnen vorgefundenen Gesellschaft hielten, so dass sie uns auch einen verpasst haben! Und als liebende Kinder, haben wir ihn gern genommen.

Nun ist es an der Zeit, diesen Buckel in Liebe anzuschauen, den Schmerz darin zu heilen und ihn gehen zu lassen, damit wir uns zu unserer wahren Größe aufrichten können. Dies können wir bewerkstelligen, indem wir wieder in die 8. Dimension zurückkehren.

Hier fragen wir erneut und diesmal vielleicht noch etwas tiefgründiger und nachhaltiger als zuvor „Wer BIN ich?“ Wir lassen uns also noch tiefer als zuvor auf DAS ein, was sich uns zeigt, wenn wir diesen Schlüssel der Liebe anwenden.

Wir tauchen noch tiefer in die Liebe ein. Und wir lernen nach und nach, dass sie real ist! Es kann auch sein, dass wir gut daran tun, die Ursache unserer Angst vor der Liebe in traumatischen Erfahrungen in unserer Kindheit zu suchen und zu finden.

Dann können wir zusätzlich mit Traumaarbeit diese Angst auflösen und uns tiefer der Liebe öffnen, die wir immer bereits SIND. Und so entsteht dann auch nach und nach die Bereitschaft, uns dem zu öffnen, zu WERDEN, was ich BIN!

Diese Schlüssel der Liebe sind also machtvolle und hochwirksame Werkzeuge, wenn wir bereit sind, sie auch wirklich anzuwenden! Wenn wir nur einmal fragen und dann nie wieder, werden wir natürlich keine sehr profunden Ergebnisse erzielen.

Deswegen sprach ich davon, dass es hier um Arbeit geht. Und diese Arbeit besteht im Wesentlichen darin, all das zu erkennen und dann aufzulösen und zu heilen, was der Liebe im Weg steht! Auf allen Ebenen!

Wir haben also nun im Herzen in den Dimensionen 8 und 7 die ersten Schritte gemacht, ein stabiles Mittleres Selbst, also ein stabiles bewusstes Ich zu schaffen, das fest in der Liebe verankert ist, die JETZT HIER ist.

Als nächstes steigen wir in den Solarplexus hinab. Hier kommen wir zunächst mit der 6. Dimension in Kontakt, wo es um die Frage „Was HABE ich zu geben?“ geht. Im Solarplexus fühlen wir. Wir fühlen also, „Was HABE ich zu geben?“ Wir grübeln darüber nicht intellektuell nach!

Wir sind also auf dem Weg der Selbstwerdung, nachdem wir in der 7. Dimension die Bereitschaft entwickelt haben, zu WERDEN, was wir SIND. Und nun wollen wir diese Bereitschaft weiter verdichten, damit wir etwas zu geben HABEN!

Die Reaktion im Solarplexus zeigt sich also als Gefühl. Wir lernen hier in der 6. Dimension, zu fühlen, was wir zu geben HABEN. Achte also auf ein Gefühl von Freude, das Dir deutliche Hinweise darauf gibt, worum es geht!

Wichtig ist hier zu erkennen, dass Freude etwas ganz anderes ist als Spaß! Freude ist ein Gefühl, das uns in Rechtsdrehung in Richtung unserer Bestimmung trägt. Spaß hingegen ist eine Reaktion auf bestimmte linksdrehende Stimulationen, die einfach äußerlich auf uns einwirken.

Wir können Spaß haben, ohne dabei Freude zu fühlen. Und wir können Freude fühlen, ohne dass es notwendigerweise Spaß macht. Freude ist also ein Wegweiser zu unserer Bestimmung. Und sie kommt tief von innen!

Auch im Solarplexus haben wir, wie im Herzen, einen Yin- und einen Yang-Schlüssel! Den Yin-Schlüssel haben wir eben in der sechsten Dimension kennengelernt.

Übrigens: Alle Dimensionen mit geraden Nummern enthalten Yin-Schlüssel, während alle Dimensionen mit ungeraden Nummern Yang-Schlüssel beinhalten.

In der 5. Dimension stoßen wir nun auf den Yang-Schlüssel „Bin ich bereit, der Liebe zu vertrauen?". Dies ist der erste Schlüssel des TUNs! Das TUN drückt sich also nicht direkt wörtlich in der Schlüsselfrage aus. Aber zu vertrauen, ist ein TUN.

Auch hier geht es also wieder um eine Ja/Nein-Frage! „Bin ich bereit, der Liebe zu vertrauen?" Und wieder gilt, dass alle Antworten außer „Ja" nur Abstufungen von „Nein" sind. Wir fühlen also in der 5. Dimension in unseren Solarplexus hinein und fühlen die Antwort.

Sind wir also bereit, der Liebe zu vertrauen? Wenn Du viele Verletzungen erlebt hast, die Du möglicherweise bis heute noch nicht geheilt hast, wir die Antwort eher zögerlich oder rundheraus „Nein" lauten.

Und auch hier gilt wieder, dass wir uns nicht zu einem „Ja" versuchen zu überreden oder gar zu zwingen! Wir gehen wieder geduldig, freundlich und voller Mitgefühl auf dieses Nein ein, das wir in uns fühlen.

Der Liebe zu vertrauen, ist eine große Sache, wenn unser Leben bislang vielleicht hauptsächliche aus Erfahrungen von Angst bestanden hat. Also wenden wir uns nun auf der emotionalen Ebene wieder der offenen Schlüsselfrage aus der 6. Dimension zu.

Oder wir gehen nochmal ins Herz zurück und fragen zunächst wieder „Wer BIN ich?" Das ist ohnehin die Jokerfrage. „Wer BIN ich?" ist der Anfang und das Herz dieses ganzen Prozesses der Anthrosynthese. Ohne Erwachen im Herzen, funktioniert der ganze Prozess nicht.

Und natürlich auch nicht das Vertrauen in die Liebe! Wenn wir also lernen wollen, der Liebe zu vertrauen, setzt das voraus, dass wir überhaupt eine Idee davon haben, was Liebe tatsächlich ist! Deswegen die Einladung, nochmal in die 8. Dimension zurückzukehren, wenn es in der 5. kein Ja gibt!

Wenn wir in den Dimensionen 8 bis 5 das denkende und fühlende Mittlere Selbst in Herz und Solarplexus vollendet haben, gilt es danach in den Dimensionen 4 bis 1 das empfindende und instinktive Untere Selbst zu schaffen, in dem wir eingeladen sind, erwachsen zu werden.

Erwachsenwerden

Hier in dem Bereich der Dimensionen 4 bis 1, wo wir das Untere Selbst schaffen, geht es darum, ein Gefäß zu schaffen, das die Liebe, die im Mittleren Selbst Gedanken und Gefühle geprägt hat, wiederspiegeln kann.

Wir übernehmen also physisch die Verantwortung für unseren Weg der Selbstwerdung, wir antworten der Liebe, der wir im Mittleren Selbst in Herz und Solarplexus begegnet sind, indem wir uns körperlich ganz auf sie einlassen.

Erwachsenwerden beginnt in der empfindenden 4. Dimension im Sakral. Es geht dabei darum, sich noch tiefer auf das Erwachen einzulassen, dem Erwachen und der Liebe noch mehr zu vertrauen. Es geht hier darum, das erwachte Mittlere Selbst im Körper zu spiegeln.

Wir fragen in der 4. Dimension „Was IST jetzt hier?“ – So lautet also der fünfte Schlüssel der Liebe. Hier haben wir wieder das SEIN in Aktion. Im Mittleren Selbst hatten wir bereits gesehen, dass jedes der vier Verben der Sprache der Liebe einmal vorkommt.

Genauso ist es nun auch mit dem Unteren und später mit dem Hohen Selbst. Die gleichen Grundfunktionen des Lebendigen begegnen uns also in jedem der drei Selbste wieder: Auf SEIN folgt WERDEN, worauf sich HABEN anschließt und schließlich zuletzt TUN kommt.

Was passiert also nun, wenn wir im Sakral in der 4. Dimension „Was IST jetzt hier?“ fragen? Es geht um eine Empfindung dieses

HIER & JETZT. Wir sind hier eingeladen, physisch wirklich präsent zu SEIN, also zu dem zu stehen, was wir im Mittleren Selbst mental und emotional geschaffen haben.

Vielfach verwechseln wir, wenn wir HIER & JETZT hören, die physische Anwesenheit mit echter Präsenz. Dass ich im Raum anwesend bin, bedeutet allerdings nicht, dass ich auch wirklich bewusst hier BIN. Oft sind wir zwar physisch anwesend, geistig aber ganz woanders.

Gurdjieff sprach einst von drei Ebenen von Aufmerksamkeit. Die erste beschrieb er als die physischen Impulse, also Hunger, Durst, Müdigkeit, körperlichen Schmerz, sexuelle Erregung usw. Die zweite Ebene bezieht sich auf unser in Gedanken Wandern. Viele Menschen sind ständig in solchen mechanischen Gedanken im Kopf unterwegs.

Die Dritte Ebene der Aufmerksamkeit war aus Gurdjieffs Sicht das HIER & JETZT. Er hielt also seine Schüler an „Wo BIN ich in diesem gegenwärtigen Moment?“ zu fragen, um so die Aufmerksamkeit zurück in die Gegenwart und unsere Präsenz in ihr zu holen.

Die ergänzende Frage „Wo war ich, bevor ich in diesen gegenwärtigen Moment zurückgekehrt bin?“ macht schnell bewusst, dass wir in Gedanken waren, also auf der von ihm so benannten zweiten Ebene der Aufmerksamkeit.

Wenn wir also „Was IST jetzt hier?“ fragen, wollen wir diese dritte Ebene der Aufmerksamkeit erreichen und uns davon abhalten, uns in der zweiten Ebene in den ständigen mechanischen Gedanken zu verlieren.

Auch dieser Schlüssel ist wieder ein Yin-Schlüssel, wie das alle Schlüssel der Liebe sind, die mit SEIN bzw. mit HABEN zu tun haben. Alle Schlüssel, die mit WERDEN bzw. TUN verbunden sind, haben hingegen eine Yang-Qualität!

Wenn wir nun die Yang-Seite des Sakralzentrums erforschen, kommen wir zum nächsten Schlüssel der Liebe, zur Frage „Bin ich bereit, bedingungslos neugierig auf das Lebendige zu WERDEN?“ Wie bei allen Yang-Schlüsseln auch wieder eine Ja/Nein-Frage!

Wir können die Ja/Nein-Fragen auch als Stöpsel in Gefäßen sehen, die entweder auf oder zu sind. Wenn ein „Ja“ vorhanden ist, öffnet sich der Stöpsel und die Energie kann auf die nächste Ebene absteigen, aus der Wurzel dann auch aufsteigen.

„Bin ich bereit, bedingungslos neugierig auf das Lebendige zu WERDEN?" fragen wir also in der 3. Dimension im Sakral. Sind wir aus der in der 4. Dimension gefundenen Präsenz HIER & JETZT heraus nun bereit, noch tiefer zu gehen?

Darf der Stöpsel aus dem Gefäß gezogen werden, so dass die Energie noch tiefer gehen kann? Sind wir also bereit, uns wirklich auf das Lebendige einzulassen, es tief zu empfinden? Und das eben bedingungslos, also das ganze Lebendige bejahend. Nicht nur ein paar Teilbereiche davon!

Hier vertieft sich unser Erwachsenwerden weiter, denn das ist ja das Grundthema des Unteren Selbstes. Wenn wir anfangen, bedingungslos „Ja" zu allen Empfindungen zu sagen, die uns bei der Erforschung des Lebendigen begegnen, wird unser Gefäß für die Liebe stärker.

Nachdem wir nun auf der Ebene des Sakral die Dimensionen 4 und 3 erfahren haben, setzt sich die Schaffung eines physischen Gefäßes für die Liebe jetzt auf der Ebene der Wurzel fort Hier begegnen uns die Dimensionen 2 und 1.

Es geht auf dieser Ebene um den Instinkt. In der Wurzel fragen wir in der 2. Dimension „Was HAT das zur Folge?". Nachdem wir also in der 3. Dimension der Bejahung der bedingungslosen Neugier auf das Lebendige zugestimmt hatten, erfahren wir hier die Folgen.

Diese Folgen sind sehr intensiv. Wir spüren instinktiv, wie sich das Gefäß der Liebe, das wir dabei sind, zu erschaffen, weiter verdichtet. Es wird noch konkreter erfahren, was es heißt, erwachsen zu werden.

„Was HAT das zur Folge?" führt uns also tief in die Instinktebene in der Wurzel in der 2. Dimension hinein. Wir spüren, dass es kein Ausweichen, kein Weglaufen mehr gibt, wenn wir diesen Weg jetzt weiter gehen.

Die Yang-Frage in der Wurzel in der 1. Dimension lautet nun „Bin ich bereit, die Konsequenzen zu leben?". Hier kann ein starker Impuls entstehen, wegzulaufen, solange die Antwort „Nein" lautet. Erwachsenwerden hat seinen Preis.

Der Preis ist die Angst, die uns linksdrehend ja permanent begleitet. Im Grunde ist es wirklich so einfach. Der Preis ist die Angst! Um hier „Ja" sagen zu können, sind wir eingeladen, die Angst auf einer tiefen Ebene in uns zu heilen.

Es geht also auch hier in der 1. Dimension wieder um eine der Ja/Nein-Fragen! Und wieder gilt die bekannte Regel: Wenn wir kein klares „Ja" in uns spüren, ist es ein „Nein"! Ein „Vielleicht" oder jedes andere Zögern sind kein „Ja"! Und das ist wichtig, es wirklich tief zu verstehen.

Wir befinden uns auf einer hochenergetischen Ebene, denn in der Wurzel ist ja auch der Sitz der Kundalini-Energie. Wenn wir hier wirklich „Ja" sagen können, wird diese Energie aufsteigen und uns in Kontakt mit dem Hohen Selbst bringen.

Von daher gilt auch hier wieder sehr grundlegend, dass jede Art von Zwang, um das „Nein" zu überwinden, größten Schaden anrichten kann. Hier können wirklich Sicherungen durchbrennen, die am Ende irreparable Schäden hinterlassen.

Wenn Du also merkst, dass Du auf die Frage „Bin ich bereit, die Konsequenzen zu leben?" nicht mit „Ja" antworten kannst, lass Dir unbedingt Zeit und wende Dich wieder Deinem Herzen zu! Frag „Wer BIN ich?" und tauche tiefer in die Liebe ein!

Gerade auch auf der Wurzelebene sitzen sehr tiefe Traumata. Ebenso natürlich auch im Sakral. Diese beiden oft sehr unbewussten Ebenen speichern alles ab, was mit körperlicher Gewalt und sexuellen Übergriffen verbunden ist.

Wenn Du also mit traumatischen Erfahrungen zu tun hast, ist Traumaarbeit natürlich sehr empfehlenswert. Daher zeige ich Dir später im Übungsteil des Buches eine sehr kraftvolle Technik, die ich selbst in dem Zusammenhang auch anwende!

Gerade im Bereich der unteren Zentren Sakral und Wurzel sind Achtsamkeit und Freundlichkeit im Umgang mit Dir selbst sehr wesentlich, denn hier ist so Vieles unbewusst. Und durch Druck oder eben gar Gewalt Dir selbst gegenüber, können hier neue Verletzungen geschehen.

Deswegen ist der Kontakt mit dem Herzen so wichtig! Wir sind eingeladen, im Herzen unser Erwachen immer weiter zu vertiefen, damit sich der Raum der Liebe in uns immer mehr erweitern kann.

Aus diesem Raum der Liebe heraus geht dann auch die Anthrosynthese voran!

Nur wenn wir also liebevoll und achtsam immer weiter gehen, ist es möglich, in der Wurzel in der 1. Dimension nicht nur anzukommen, sondern auch die Bereitschaft zu entwickeln, mit „Ja" auf die Frage „Bin ich bereit, die Konsequenzen zu leben?" zu antworten.

Wenn wir also in den Dimensionen 4 bis 1 das Untere Selbst vollendet und bis auf den Grund durchdrungen haben, kann die Energie aus dem Wurzelzentrum die Wirbelsäule entlang aufsteigen, so dass wir in Kontakt mit den Dimensionen 12 bis 9 kommen und das Hohe Selbst schaffen können!

Erleuchtung

Beim dritten Bereich in der Rechtsdrehung geht es um das Hohe Selbst und darin um die Erleuchtung. Erleuchtung ist etwas anderes als Erwachen, auch wenn mit diesen Begriffen meist unbewusst und willkürlich umgegangen wird, als seien sie austauschbare Synonyme.

Das ist aber nicht der Fall! Erwachen ist der erste Kontakt mit dem Selbst, Erleuchtung ist die Vollendung! Der Weg dorthin ist das Erwachsenwerden, über das ich im letzten Abschnitt über die Dimensionen 4 bis 1 ausführlich geschrieben hatte.

Erwachen ist also der Beginn im Herzen. Erleuchtung ist die Vollendung in der Stirn. Hier kommen wir mit dem Licht der 12. und 11. Dimension in Kontakt und lernen, uns dem zu öffnen, ohne der Verblendung anheimzufallen!

Erleuchtung beginnt in der 12. Dimension, wenn wir die Energie zuvor über den Kopf hinaus haben aufsteigen lassen. Die absteigende Energie in der Stirn ist es dann, mit der die Erleuchtung stattfindet.

Der Schlüssel der Liebe für die 12. Dimension lautet: „Was IST wirklich?" Es geht hier also wieder um das SEIN. Und die Frage nach dem Wirklichen! Lass uns hier untersuchen, was denn dieses Wirkliche eigentlich IST!

Darin steckt ja, dass es wirkt, nicht wahr? Das Wirkliche kann Dinge bewirken. „Wirksamkeit ist das Maß der Wahrheit" lautet das siebte Prinzip der hawaiianischen Huna-Lehren. Wenn wir also Techniken anwenden, sollten sie etwas bewirken.

So, wie der Prozess der Selbstwerdung wirkt, was sich nicht nur bei mir, sondern auch bei meinen Klienten seit Jahren immer wieder zeigt. Wie wir jedoch intuitiv erfassen geht es aber beim Wirklichen noch um eine andere Ebene als die der Wirkung.

Denn wir wissen ja heute, dass man Wirkungen durchaus auch, zumindest temporär erzielen kann, ohne tief mit dem Wirklichen verbunden zu sein. Wenn jemand Kopfschmerzen hat und Aspirin oder Paracetamol einnimmt, wird er eine Wirkung erfahren.

Mit dem Wirklichen hat sie dennoch nicht viel zu tun. Wir fragen also „Was IST wirklich?“, um zu erfahren, wie sich eine neue erleuchtende Ebene in uns öffnet. Auch dazu gibt es noch eine zusätzliche körperliche Technik, die ich Dir im Übungsteil zeigen werde!

Da dieser Schlüssel der Liebe yin ist wie die 12. Dimension, in der er angewendet wird, geht es hier also um die Schau des Wirklichen, wenn wir fragen „Was IST wirklich?“ Wir öffnen uns mehr und mehr durch unsere Intuition dem Wirklichen auf der Ebene des Stirnzentrums, des Dritten Auges!

Und dann erkennen wir, dass nicht nur Eigentum verpflichtet, wie das Grundgesetz es sagt, sondern auch Wissen. Wenn wir etwas erfahren, verpflichtet dies dazu, es mit unseren Mitmenschen zu teilen, zumindest mit denen, die „Ohren haben, um zu hören“.

Wir kommen also in der 11. Dimension ins yang, also wieder an eine dieser Ja/Nein-Fragen, die uns eine Eindeutigkeit abverlangen, die wir vielleicht in dem Moment noch gar nicht haben. Und dann wissen wir ja schon, was zu tun ist!

Hier in der 11. Dimension fragen wir: „Bin ich bereit, wirklich zu WERDEN?“ Dieses Wirkliche, dem wir in der 12. Dimension begegnet sind, will von uns nicht nur, dass wir über es sprechen. Wir sollen keine Missionare werden. Wir sollen WIRKLICH werden!

Sind wir also bereit, dieses Wirkliche zu WERDEN, die alte Haut abzustreifen und uns von ihr bekleiden zu lassen? Das Wirkliche verlangt eine völlige Umkehr. Wir sollen nicht lau sein, um nicht ausgespien zu werden. Aber unsere falsche Persönlichkeit ist immer lau. Und will verhandeln.

Sie will überleben, was ja eines ihrer drei Grundmotive ist. Und das, was sie zuvor fremdbestimmt programmiert hat, will natürlich auch, dass sie überlebt. Schließlich wurde ja immenser Aufwand zu ihrer Programmierung betrieben. Das möchte man nicht umsonst getan haben.

Wenn wir also erstmal kein „Ja" auf diesen Schlüssel haben, ist das auch hier natürlich keine Schande. Wir sollten nicht so tun als ob, denn dann würde die linksdrehende falsche Persönlichkeit so tun, als sei sie rechtsdrehend, was den Erfolg unserer Anthrosynthese nahezu unmöglich machen würde.

Auch hier gehen wir wieder mit vorherigen Schlüsseln in Kontakt, beginnen am besten wieder im Herzen, um dort unser Erwachen weiter zu vertiefen und kehren dann mit frischer Energie rechtsdrehend in die 11. Dimension zurück.

Mit einem „Ja" auf die Frage „Bin ich bereit, wirklich zu WERDEN?" haben wir schließlich die Dimensionen 12 und 11 des Stirnzentrums abgeschlossen und können nun in den Bereich der Kehle absteigen.

Hier geht es um die Dimensionen 10 und 9. Wir lauschen in der Kehle auf die inspirierenden Impulse des Wirklichen und stellen in der 10. Dimension die Frage „Was HAT das Lebendige davon?" Es beginnt also auch hier wieder mit einer Yin-Frage.

Wir öffnen uns dieser Frage bedingungslos und lauschen der Inspiration, die uns dahinführt, zu erkennen, was das Lebendige davon HAT, dass wir uns diesem Prozess der Selbstwerdung tiefer und tiefer öffnen!

Im Anschluss tauchen wir in der Kehle hinab in die 9. Dimension, wo wir uns der Yang-Frage stellen: „Bin ich bereit, mich dem Wissen des Lebendigen bedingungslos zu öffnen?" Wir finden hier also die letzte der Ja/Nein-Fragen!

Sind wir bereit dazu, dem Wissen des Wirklichen nicht nur zu lauschen, sondern es auch zu sprechen? Das Wissen ist nicht dazu da, dass wir es horten. Es ist dazu da, dass wir es mit allen Menschen teilen, die bereit sind, zuzuhören!

In den Dimensionen 10 und 9 haben wir jetzt also das Thema der Inspiration erfahren. Wir haben gelernt, uns selbst inspirieren zu lassen, aber auch bereit zu sein, andere Menschen mit dieser Inspiration zu begeistern!

Nach dieser Reise durch die 12 Dimensionen, 6 Zentren und 3 Selbste in der Rechtsdrehung haben wir jetzt erkannt, welche Herausforderungen uns auf dem Weg der Selbstwerdung begegnen und welche Schlüssel der Liebe uns auf diesem Weg zur Verfügung stehen!

Polaritäten der Dimensionen in Links- und Rechtsdrehung

Wenn wir nun diese Nummerierung der Dimensionen von 1 bis 12 gesehen haben, denken wir vielleicht gewohnheitsgemäß linear, also dass sie übereinander gestapelt wären. Tatsächlich bilden sie einen Abschnitt einer Spirale, der zweidimensional in der Draufsicht einen Kreis ergibt.

Tatsächlich ist es aber kein Kreis, denn die beiden Enden berühren sich nicht. Deswegen ist ja auch der Aufstieg der Energie in der Rechtsdrehung von der 1. in die 12. Dimension kein Selbstläufer. Wenn es das wäre, wären alle erleuchtet, ohne sich jemals dafür angestrengt zu haben.

Da das aber nicht so ist, wenn wir uns umschauen, wissen wir, dass es eben tatsächlich kein Selbstläufer ist und nicht mal unbedingt etwas, bei dem wir viel Unterstützung bekommen, wenn wir uns auf den Weg machen.

Auch wenn es also kein Kreis ist, den wir hier durchlaufen, liegen sich doch bestimmte Dimensionen gegenüber. Sie bilden also innerhalb des Prozesses unserer Reise jeweils eine Polarität. Wenn wir später zum astrologischen Teil unserer Arbeit der Anthrosynthese kommen, werden wir das noch leichter verstehen.

Wir haben aber eben auch dimensional links- und rechtsdrehend Polaritäten, mit denen wir es zu tun haben. Linksdrehend sieht das so aus:

- 9. Dimension - Ideologie : 3. Dimension - lernen
- 10. Dimension - Status : 4. Dimension - Dazugehören
- 11. Dimension - Gesellschaft : 5. Dimension - Fortpflanzung
- 12. Dimension – Himmel : 6. Dimension - Funktionieren
- 1. Dimension - Machen : 7. Dimension - Harmonisieren
- 2. Dimension - Raffen : 8. Dimension – Sterben

Wir werden also in der 9. Dimension fremdbestimmt auf eine Ideologie geprägt und lernen dann in der 3. Dimension zu unserem Überleben nur das, was auch dieser Ideologie entspricht. In der 10. Dimension werden wir fremdbestimmt auf einen bestimmten Status geprägt, den wir in der 4. Dimension durch Dazugehören zum Überleben nutzen.

In der 11. Dimension werden wir fremdbestimmt auf unseren Platz in der Gesellschaft geprägt, so dass wir dann in der 5. Dimension fühlen, was zu unserer Fortpflanzung, für unseren Fortbestand zu tun ist.

Die 12. Dimension prägt uns linksdrehend fremdbestimmt auf das, was wir für den Himmel halten und in der 6. Dimension tun wir zu unserem Fortbestand alles, um so zu funktionieren, dass wir glauben, dann auch in diesen Himmel zu kommen.

In der 1. Dimension machen wir instinktiv aus Angst, um zu überleben, während wir in der 7. Dimension dann das, was wir hier gemacht haben, schmerzlich harmonisieren, um unseren Fortbestand zu sichern.

Und in der 2. Dimension raffen wir linksdrehend, um zu überleben, während wir in der 8. Dimension sterben und das, was wir gerafft haben, unseren Kindern oder der Nachwelt überlassen.

GEFÄNGNISPLANET ERDE

GEFÄNGNISPLANET ERDE – WER SIND GEFÄNGNISDIREKTOR UND GEFÄNGNISWÄRTER?

Die Erde wird vielfach als „Gefängnisplanet" bezeichnet. Oder auch als „die Hölle eines anderen Planeten", wie Aldous Huxley es einst formulierte. Warum ist das so? Und warum gelingt es nicht, ein „Paradies auf Erden" zu schaffen, von dem doch so viele Menschen träumen?

Erinnerst Du Dich, was ich im Kapitel „Rechts- und Linksdrehung" über die Erde geschrieben hatte?

„Unsere Erde dreht aktuell nach links. Das ergibt sich, wenn wir auf den Nordpol draufschauen, denn so sehen wir, dass die Erde sich linksherum um die Erdachse dreht. Aber nicht nur die Erde ist heute linksdrehend!

Auch unsere heutige fünfte Sonne, sowie unser Mond befinden sich in Linksdrehung! Wir sehen also, dass die drei wesentlichen zentralen Gestirne für die heutige Menschheit alle drei linksdrehend sind: Erde, Sonne und Mond!"

Ja, Erde, Sonne und Mond drehen alle nach links! Und keine zwei Gestirne prägen das Leben auf der Erde so nachhaltig und unausweichlich, wie Sonne und Mond! Natürlich erzählen daher auch die Positionen dieser beiden „Lichter", wie sie traditionell astrologisch genannt werden, im Geburtshoroskop eine ganze Menge über den jeweiligen Menschen.

Viele astrologische Prognosetechniken beziehen sich daher auch nicht zufällig auf Sonne und Mond. Wenn wir z.B. an das Solar oder an die Sonnenbogendirektionen denken, beziehen diese sich natürlich auf die Sonne, während sich die Mondprogressionen auf den Mond beziehen.

Aber kommen wir zurück zur Überschrift dieses Kapitels. Ich fragte: „Gefängnisplanet Erde – wer sind Gefängnisdirektor und

Gefängniswärter?" – Da ich Sonne und Mond bereits ausführlich zu Beginn dieses Kapitels erwähnt habe, ist es naheliegend, dass ich von diesen beiden spreche, oder?

Wir kommen der Sache also näher: Natürlich ist die wie die Erde linksdrehende Sonne unser Gefängnisdirektor, während der Mond die Rolle des Gefängniswärters ausfüllt. Diese Rollenzuordnung gefällt sicher vielen Romantikern nicht wirklich.

Das kann ich verstehen. Aber mir geht es ja auch nicht darum, Dir oder irgendeinem anderen Menschen zu gefallen, sondern die Realität, in der wir leben so abzubilden, wie sie sich mir zeigt. Nur so können wir aus dem Dämmerzustand des D+U+M=M Prinzips erwachen.

Schauen wir also zunächst mal auf die Sonne. Wie füllt sie die Rolle unseres Gefängnisdirektors aus? Sie bestimmt unser Leben in einem Umfang, dass die meisten Menschen es gar nicht wahrhaben wollen oder wahrhaben können, denn es würde ihr Weltbild zerstören.

Da aber ja nun dieses Buch genau zu diesem Zweck geschrieben wurde, nämlich um unser dysfunktionales altes Weltbild zu zerstören, damit die alte ursprüngliche Form des Lebens in unserem Sonnensystem und auf dieser Erde wieder sichtbar werden kann, macht das nicht wirklich viel.

Was wir über die Sonne wissen müssen, ist zunächst einmal, dass sie elektrisch ist. Und sie hat Zyklen. Ja, nicht nur der Mond hat Zyklen. Auch die Sonne hat sehr eindeutige Zyklen! Diese Zyklen haben viel mit ihrer elektrischen Aktivität zu tun.

Wenn die Sonne elektrisch sehr aktiv ist, sehen wir von der Erde aus das, was wir Sonnenflecken nennen. Aus diesen Sonnenflecken entweichen oft beschleunigte und abrupte Plasmaströme, die in Richtung Erde weisend hier Unruhe stiften.

Wir sehen das z.B. an Gesundheitsthemen auf der Erde. Bei starken Sonneneruptionen treten medizinischen Studien zufolge deutlich mehr Herzinfarkte, Schlaganfälle und auch akute psychische Probleme auf, d.h. die Zahlen der Einweisungen in Krankenhäuser liegt an solchen Tagen signifikant höher.

Über dieses Thema hat Ben Davidson ausführlich in seinem Buch „A Weatherman's Guide to the Sun“ (auf Deutsch: „Sonnenführer eines Wettermannes“) geschrieben und dabei eine Vielzahl von Studien zitiert.

Was bei solaren Maxima z.B. auch deutlich hervortritt, ist die Grippe, also die Influenza! Bis vor hundert Jahren war es noch allgemein bekannt, dass auf dem Höhepunkt der Sonnenfleckenaktivität zugleich auch heftige Grippewellen auf der Erde auftraten.

Bei solaren Minima, wie besonders deutlich während des Maunder-Minimums zwischen 1645 und 1715 zu sehen, hat die Influenza auf der Erde Pause. Über diese erstaunlichen Zusammenhänge berichtet Arthur Firstenberg in seinem Buch „The Invisible Rainbow – A History of Electricity and Life“ (auf Deutsch: „Der unsichtbare Regenbogen – Eine Geschichte von Elektrizität und Leben“) sehr ausführlich.

Und ja, tatsächlich bestimmt die Sonne auch das Klima auf dieser Erde. Natürlich sollen wir das wie alle anderen deutlich ablesbaren Einflüsse der Sonne nicht bemerken. Sonst könnte man uns ja kein schlechtes Gewissen mehr mit einem angeblich „menschengemachten Klimawandel“ machen.

Die Sonne steuert also eine Vielzahl essenzieller Funktionen in uns Menschen auf dieser Erde. Und zuallererst sind das unsere Gefühle. Wir erinnern uns: Die Sonne wirkt über den Solarplexus auf unser menschliches Leben ein.

Und auch unsere Gefühle verändern sich, je nachdem, in welchem Zustand sich die Sonne gerade befindet. Wobei Extreme in beiden Richtungen schwierig für den menschlichen Emotionalhaushalt sind.

Große Anzahlen von Sonnenflecken mit starken Eruptionen wie M-Klasse oder gar X-Klasse können starke Gefühlsausbrüche in Menschen auslösen. Aber auch totale Ruhe auf der Sonne, also längere Phasen ohne jeden Sonnenfleck können emotional für Menschen belastend sein.

Wenn wir unbewusst nur so vor uns hin existieren, begreifen wir meist gar nicht, in welchem Ausmaß unsere Emotionen von der Sonne dominiert werden. Der Gefängnisdirektor gibt also das Programm für die Insassen vor.

Aber was ist nun mit dem Gefängniswärter? Wir erinnern uns: Die Sonne ist der Gefängnisdirektor auf unserem Gefängnisplaneten, während der Mond der Gefängniswärter ist. Wie können wir uns das nun vorstellen?

Wenn es auch für viele Menschen vielleicht überraschend kam, dass ich die Sonne als für emotionale Schwankungen auf dieser Erde verantwortlich überführt habe, wird es doch eher weniger Menschen überraschen, wenn ich dem Mond ähnliche Eigenschaften zuschreibe, oder?

Der Mond, und insbesondere der Vollmond, gilt ja seit Jahrhunderten als beteiligt an vielen Prozessen auf der Erde und im Menschen. Ja, der Vollmond wird z.B. auch mit Begriffen wie „Säufersonne" belegt.

Nur hat der Mond, entgegen der Annahme sowohl im Volksmund als auch in der Mainstream-Astrologie nicht wirklich etwas mit Gefühlen zu tun, sondern mit Empfindungen. Hier sollten wir vielleicht kurz definieren, was der Unterschied ist.

Gefühle sind emotionale Regungen wie Freude, Traurigkeit, Zorn oder Angst, die wir im Solarplexus FÜHLEN. Empfindungen sind unmittelbar körperliche Regungen wie Schmerz, Lust, Hunger und Durst. Und auch wenn diese beiden Ebenen immer wieder gern durcheinandergeworfen werden, sind sie doch klar unterscheidbar.

Wenn wir also mal kurz auf die oben erwähnte „Säufersonne" eingehen: Der Durst kommt dann oft von einem Gefühl, das eine Empfindung auslöst, die man nicht aushält. Da ist z.B. Traurigkeit, die eine Empfindung von Anspannung im Unterbauch auslöst.

Das möchte man dann beseitigen. Also trinkt man. Oder man bekommt Lust auf Sex. Wenn man dabei dann die Frau versehentlich schwängert, oder als Frau versehentlich schwanger wird, entstehen wieder neue Gefühle und Empfindungen.

All das zeigt, wie wenig selbstbestimmt das Leben der Menschen im Tiefschlafzustand von D+U+M=M auf dieser Erde ist. Wir schwanken dann durch die Programme von Gefängnisdirektor und Gefängniswärter zwischen Tiefschlaf sowie Verzweiflung (H+A+S=S introvertiert) und Arroganz (H+A+S=S extrovertiert) hin und her.

Aber nichts davon ist unser eigenes Werk! Nichts davon haben wir selbst erschaffen! All dies entsteht automatisch, weil wir nicht in der Lage sind zu bemerken, in welchem Ausmaß wir permanent manipuliert werden!

Und nein, natürlich ist das noch lange nicht alles! Im Bereich von H+A+S=S extrovertiert finden wir genau die Menschen, die gern andere Leute manipulieren. Gemäß dem Motto des polnischen Journalisten Gabriel Laub: „Der Sklave will nicht frei werden. Er will Sklavenaufseher werden."

Diese Menschen halten sich für frei. Sie wähnen sich ihren armseligen Mitmenschen überlegen. Aber tatsächlich sind auch sie Gefangene von Sonne und Mond. Eben Gefangene, die bestimmte Privilegien des Gefängnisdirektors oder des Gefängniswärters genießen, so lange sie tun, was von ihnen verlangt wird.

Wenn wir nun nochmal hinschauen, was denn Gefängnisdirektor und Gefängniswärter verlangen, stoßen wir auf erstaunliche Parallelen: Die Azteken sprachen davon, sie seien „das Volk der Sonne". Sie hielten sich also für privilegiert gemäß dem Zitat von Laub. Sie sahen sich als Sklavenaufseher.

Und was sollten sie liefern? Sie glaubten, es sei ihre „göttliche Pflicht", einen „kosmischen Krieg" zu führen, um die Sonne mit seinem Tlaxcaltiliztli ("Nahrung") zu versorgen. „Ohne sie würde die Sonne vom Himmel verschwinden. Das Wohlergehen und das Überleben des Universums selbst hing also von den Blut- und Herzopfern an die Sonne ab." (Aus Wikipedia: en.wikipedia.org/wiki/Five_Suns)

Gurdjieff, der geniale armenische Mystiker, wiederum beschrieb die schlafende Menschheit als „Nahrung für den Mond". Sein langjähriger russischer Schüler Ouspensky zitiert Gurdjieff in Kapitel 5 seines Werks „Auf der Suche nach dem Wunderbaren wie folgt: „Der Mensch wird vom Mond wie von einem riesigen Elektromagneten angezogen und bringt ihm die Wärme des Lebens, von dem sein Wachstum abhängt."

Wir sehen also, dass wir als unbewusste Menschen nichts als Nahrung für Sonne und Mond darstellen. Wir bekommen Reize von ihnen, durch die wir bestimmte Emotionen und Empfindungen freisetzen. Und am Ende unserer physischen Existenz unsere Lebenskraft!

Ich möchte an der Stelle noch hinzufügen, dass hier auch die wirkliche Ursache für Krieg auf der Erde zu suchen ist! Wir haben ja als Menschen verschiedene Theorien, woran es liegt, dass Krieg bisher nicht zu überwinden war, aber keine trifft den Kernpunkt, den wir hier finden:

„Der Grund für Kriege ist nicht im Verhalten menschlicher Wesen zu suchen, sondern in der Notwendigkeit der Gewinnung eines bestimmten Stoffes, was nur auf zwei Arten möglich ist: entweder durch die bewusste und willentliche Aktivität von Menschen oder durch ihren Tod.

Wenn die Menschen diese Substanz nicht willentlich produzieren, muss die Zahl der Todesfälle - und insbesondere der vorzeitigen Todesfälle - auf der Erde erhöht werden. So wird Krieg unvermeidlich.“ John G. Bennett – „Gurdjieff - Ursprung und Hintergrund seiner Lehre“ S. 92

Wenn wir also nicht lernen, aus unserem geistigen und körperlichen Tiefschlaf auf dieser Erde zu erwachen, führen wir eine Existenz wie Gefangene, die dem Gefängnisdirektor und dem Gefängniswärter zu Diensten sind, ohne es jemals bewusst zu bemerken.

Gibt es denn kein Entkommen vom Gefängnisplaneten Erde?

Lass uns diese Frage zunächst aus einer anderen Perspektive betrachten, indem wir fragen, wie wir wieder aus dem Gefängnis herauskommen, wenn wir Strafgefangene sind. Hilft ausbrechen? Alle Statistiken und Kriminologen sagen: Nein. Es lohnt sich nicht. Im Gegenteil: Meist macht es die Sache nur schlimmer.

Wer ausbricht, begeht in der Regel neue Straftaten, weil er ja ohne gültigen Ausweis und Geld kaum anders kann, um zu überleben. Mit anderen Worten: Ausbrecher landen schnell wieder im Knast und dann in der Regel auch noch unter schlechteren Umständen als zuvor.

Selbst in Comic-Geschichten ist die Lage eindeutig, oder? Die Panzerknacker oder die Daltons begehen nach jedem neuen Ausbruch gleich wieder neue Verbrechen und enden in jeder Geschichte wieder im Gefängnis.

Wenn wir das nun als Metapher für unser Leben auf diesem Gefängnisplaneten betrachten, wer sind dann hier die Ausbrecher? Es sind jene Menschen, die mit Gewalt aus ihrer alltäglichen Realität ausbrechen wollen.

Dazu dienen oft psychoaktive Substanzen, im Volksmund Drogen genannt, die den Ausbruch erzwingen sollen. Ich spreche hier also nicht von den Wochenendalkoholikern oder den Feierabendkiffern.

Nein, ich spreche hier von Menschen, die psychoaktive Substanzen verwenden, um „die Pforten der Wahrnehmung" zu öffnen, um also noch während ihrer irdischen Existenz in andere Welten zu entfliehen.

Ob es nun die Heroin-Junkies sind, die Crack-Huren oder die Kokser, sie alle fallen mit ebensolcher Frequenz in ihr inneres Gefängnis zurück, wie die Ausbrecher wieder im Knast landen. Nur, dass sie in der Regel wie die Ausbrecher in schlechteren Umständen landen, als zuvor.

Auch die New Age Abenteurer, die sich mit LSD, Ayahuasca oder Meskalin am Ausbruch aus ihren meist schwer von Trauma und Krankheit beladenen Existenzen versuchen, landen in der Regel eher unsanft.

Etliche flüchten sich dann in den ultimativen Ausbruch aus dieser irdischen Existenz, in den Suizid. Nur dass eben auch dieser Ausbruch wieder mit einer neuen „Straftat" verbunden ist, um das Bild vom Ausbrecher zu Anfang des Kapitels aufzugreifen!

Was ist die neue Straftat des Selbstmörders: Die Zerstörung seines Fahrzeugs, des Körpers. Ich habe sehr bewusst nicht geschrieben „die Zerstörung seines Gefängnisses", denn der Körper ist nicht das Gefängnis. Das Gefängnis ist der Geist. Der Körper ist das Mittel für Erfahrungen.

Wenn wir dieses Mittel zerstören, haben wir hinterher keine guten Karten. Nicht mal, wenn wir es leichtfertig beschädigen, wie das beim Missbrauch von Drogen oft der Fall ist. Auch dann steht uns hinterher oft nur noch ein Bruchteil des Potenzials zur Verfügung, das wir vorher hatten.

Ich meine damit übrigens nicht, dass man grundsätzlich niemals mit psychoaktiven Substanzen experimentieren sollte. Allerdings rate ich jedem, der sich dazu hingezogen fühlt, vorher zu prüfen, ob er durch die Droge vor irgendwas weglaufen will.

Und wenn dem so ist, lasst die Finger davon. Es gibt andere Wege, als zu versuchen, auszubrechen. Ganz andere Wege. Viel kraftvoller. Wesentlich eleganter. Und eben auch wesentlich nachhaltiger. Bevor ich aber dazu komme, möchte ich noch zeigen, wie die Mehrheit mit dem Gefängnis umgeht.

Ja, die Mehrheit bricht nicht aus. Die Mehrheit redet sich den Knastaufenthalt schön. „Nein, ich sitze hier aus Versehen. Ich habe gar nichts getan. Ich bin unschuldig." Sie hängen sich bunte Bilder in ihre Zelle, ein Fenster mit Meerblick, nackte Frauen, schnelle Autos.

Mit anderen Worten: Die Taktik der allermeisten Menschen hier auf der Erde ist sich wegzuträumen. Und auch dazu gibt es wieder eine Fülle von Methoden. Eine geht auch mit Drogen, aber eben im sogenannten „rekreativen Konsum".

Hier ist das Ziel also von vornherein nicht der Ausbruch, sondern nur das Vergessen des Gefängnisses. Man möchte sich einfach eine Weile aus dem faden Alltag, der deprimierenden Situation, in der man lebt oder der gescheiterten Karriere wegbeamen.

Man riskiert hier in der Regel keine plötzlichen Gehirnschäden oder Psychosen durch Überdosierung, sondern trinkt sich einen an, um Party zu machen oder kifft, damit der Sex geiler empfunden wird. Es geht hier auch nicht immer um klassische Drogen.

Alles, was Lust verspricht und Schmerz vermeidet, wird hier gesucht. Der „rekreative Konsum“ kommt schließlich von lat. „recreare - sich erfreuen, erquicken“. Also kann es auch einfach ein Stück Kuchen sein, das zu diesem Zweck gegessen wird, ohne dass eigentlich Hunger vorhanden wäre.

Oder es wird ein Film geschaut, der nur diesem Zweck dient, also keinerlei tieferen Sinn enthält oder transportiert, es werden Bücher gelesen, die nur der Unterhaltung und Ablenkung dienen, wie die berühmten „Arzt-Romane“.

Es können auch Pornos geschaut werden, um sich anhand der Bilder und gezeigten Szenarios Lust zu verschaffen. Und vergessen wir nicht: All diese genannten Lustverschaffer sind potenziell auch suchtbildend! Wir können auch nach Zucker, Fernsehen oder Pornos süchtig werden.

Auch hier sehen wir wie bei den Ausbrechern, dass also die Kurve letztlich nach unten zeigt. In der Regel nicht so schnell und schockartig, wie bei den Junkies, aber nichtsdestotrotz geht es abwärts. Hier finden wir also auch keine Unterstützung beim Entkommen, denn hier wird sich im Gefängnis eingerichtet.

Und es wird in der Regel völlig geleugnet, überhaupt im Gefängnis zu sein. „Nein, unsere schöne Erde, die ist doch kein Gefängnis. Was bist du wieder negativ. Sieh das Leben doch mal positiv!“ Und damit sind wir bei einer weiteren sehr verbreiteten rekreativen Droge: Beim „Positiven Denken!“

Mit anderen Worten: Man lügt sich das Leben schön, statt es so zu sehen, wie es wirklich ist. Es geht dabei nämlich nicht um vermeintliches „negatives Denken“. Ich lade nicht dazu ein, die ganze Zeit zu denken, wie scheiße das Leben ist. Das ist nicht der Punkt.

Genau das ist aber der Punkt des New Age! Hier geht es nämlich nur noch darum, die eigene Gefängniszelle mit Einhornglitzer und Engelshaar auszukleiden, während man vom „Aufstieg in die 5. Dimension“ fantasiert.

Wir können uns im New Age unser Leben lang mit pseudospirituellen Ersatzhandlungen davon ablenken, jemals auf unseren wirklichen Weg zu kommen. Woran erkennst Du einen solchen Pseudoweg? Daran, dass Dir versprochen wird, er sei leicht und es sei nicht nötig, Dich anzustrengen.

Der Punkt ist, endlich damit aufzuhören, sich ständig irgendwas vorzumachen, was nicht da ist. Und was auch nie da sein wird! Das Leben wird nicht schöner, wenn ich mich durch New Age, Drogen, Zucker, Entertainment oder Pornos davon ablenke. Ich kriege es nur nicht mehr mit.

Was kann ich nun also tun, wenn ich anfange zu verstehen, dass ich mich auf einem Gefängnisplaneten befinde? Zu allererst kann ich damit beginnen, dass ich das anerkenne! Ich erkenne an, dass ich auf einem Gefängnisplaneten lebe.

Ich erkenne außerdem an, dass es schmerzhaft ist, auf einem Gefängnisplaneten zu sein. Ich versuche auch nicht mehr, das zu relativieren oder mir schönzureden. Und ich versuche erst recht nicht mehr, das zu leugnen. Weder vor mir noch vor anderen Menschen.

In diesem Moment werden bei den meisten Menschen traumatische Erlebnisse hochkommen. Wir stellen also sehr schnell fest, warum wir uns abgelenkt hatten. Wir stellen fest: Der Schmerz ist real. Und das ist gut so.

Wir haben etwas Reales in unserem Leben gefunden. Und dieser reale Schmerz kann real gelöst werden. Heilung dieser Traumata ist möglich. Aber nicht durch New Age Träumereien von vermeintlich höheren Dimensionen. Und natürlich auch nicht durch Kuchen oder Pornos.

Wenn wir die Traumata lösen wollen, sind wir eingeladen, zu ihrer Wurzel vorzudringen. Dazu ist biografische Arbeit erforderlich. Wir sind eingeladen, uns zu erinnern. Schreib auf, woran Du Dich erinnerst. Alles. Nichts ist unwichtig, was Dir wehgetan hat.

Um das vorab zu sagen: Das Lösen von Traumata ist aus meiner Sicht kein Selbstzweck. Es ist Teil unseres Weges der Individuation. Wenn Menschen nicht wirklich an ihrer Selbstwerdung interessiert sind, schlafen sie nach der Heilung von ein oder zwei Traumata wieder ein.

Warum? Weil in ihnen keine Perspektive für einen Weg jenseits des Tiefschlafs der Gesellschaft angelegt ist. Wir brauchen diese Perspektive. Wir brauchen etwas, das größer ist als unsere linksdrehende falsche Persönlichkeit.

Dieses Größere ist eine Vision. Eine Vision zu haben bedeutet, dass Du weißt, wofür Du all das auf Dich nimmst. Diese Vision in der Individuation ist es, wie Gurdjieff es nannte, sich eine Seele zu verdienen.

Ich arbeite also nicht an der Auflösung meiner Traumata, damit mir hinterher Kaffee und Kuchen besser schmecken oder damit der Sex mit meiner Partnerin oder meinem Partner besser wird. Nein, ich arbeite an der Auflösung meiner Traumata, damit in mir mehr Raum für meine Vision ist.

Wenn wir also von der Befreiung aus dem Gefängnis sprechen, geht es tatsächlich um einen grundlegenden Paradigmenwechsel: Ich höre auf, mit dem Leben im Gefängnis zu hadern. Und ich fange an, ja zu meiner Selbstwerdung zu sagen.

Genau daran arbeite ich dann Tag für Tag. Es gibt Übungen für die Selbstwerdung. Und es gibt Übungen, um Trauma zu lösen. Beides geht Hand in Hand. Im Laufe dieses Buches werde ich Dir ein paar Dinge zeigen, die für mich und meine Klienten funktionieren.

Es gibt ein persisches Sprichwort, das ich in dem Zusammenhang dieses eben beschriebenen Paradigmenwechsels sehr schätze, denn es erinnert mich immer wieder daran, worum es bei der Arbeit an der eigenen Individuation zur Anthrosynthese wirklich geht:

„Was am Anfang schwer ist wird am Ende leicht. Was am Anfang leicht ist, wird am Ende schwer."

Solange wir unserer falschen Persönlichkeit glauben, die sich in der Gesellschaft millionenfach spiegelt, werden wir immer den vermeintlich „leichten Weg" wählen und am Ende den Preis zahlen.

Wenn wir bemerken, wer wir wirklich sind und welches Potenzial darin liegt, uns für unsere Individuation anzustrengen, erfahren wir die Leichtigkeit, die wir uns tatsächlich durch unsere Anstrengungen erarbeitet haben.

Hierin liegt der Weg wirklicher Befreiung.

„Teile & Herrsche" beginnt nicht in der Gesellschaft. „Teile & Herrsche" beginnt in Dir!

Alle, die sich ein wenig mit Machtstrukturen auf diesem Gefängnisplaneten Erde beschäftigt haben, werden von dieser Doktrin bereits gehört haben: „Divide et impera! – Teile und herrsche!“ Vielfach ins alte Rom verlegt, dürfte der Ursprung tatsächlich beim italienischen Philosophen des 16. Jahrhunderts, Niccolò Machiavelli, liegen. frag-machiavelli.de/divide-et-impera/

Wir lernen da, dass es darum ginge, Menschengruppen zu spalten, um sie leichter beherrschen zu können. Heute sehen wir dieses Prinzip z.B. in der sogenannten parlamentarischen Demokratie in Anwendung, wo die Menschen in Anhänger verschiedener Parteien gespalten werden.

Aber auch in den sogenannten „Weltreligionen“ erkennen wir das gleiche Prinzip: Die Menschen glauben, ihre eigene Religion sei gut, während die der anderen Menschen schlecht sei. Und selbst innerhalb der jeweiligen Religion gibt es wiederum Spaltungen.

Und natürlich gibt es auch im Bereich der wissenschaftlichen Dogmen wiederum Themen, über die sich die Menschheit streitet und spaltet. Diese Ebene der äußeren Spaltung, des äußeren „teile und herrsche“ ist also durchaus vielen Menschen bewusst.

Nachdem wir nun aber schon so viel über die zunehmende innere Fragmentierung des Menschen durch die Kataklysmen der 5 Sonnen gehört haben, wollen wir schauen, ob das denn wirklich nur außen zu finden ist.

Erinnern wir uns: „Wie innen so außen“ heißt es im Kybalion. Es geht also nicht nur um „wie oben, so unten“, nein, es geht auch um „wie innen so außen“. Wenn wir also äußerlich eine gespaltene Gesellschaft vorfinden, muss dann nicht auch im Inneren Spaltung zu finden sein?

Natürlich. Und genau diese Spaltung finden wir in uns schon auf einfachsten Ebenen! Wenn wir schauen, wie Herz, Bauch und Kopf sich in der Regel uneinig sind, dann ist das durchaus ein inneres Dramadreieck, was uns das begegnet.

Um es plakativ zu sagen: Das schmerzende Herz will Schokolade, der erregte Bauch will Sex und der genervte Kopf will Filme sehen. Auf einem T-Shirt las ich dann: „Fressen, Ficken, Fernsehen“. Was ja interessanterweise auch noch alles mit F, also dem 6. Buchstaben im Alphabet anfängt! Also 666.

Dass unsere Körper auf Kohlenstoffbasis funktionieren, könnte uns auf die Idee bringen, mal nach dem Kohlenstoff zu schauen. Er ist das 6. Element und besteht in einem bestimmten Isotop aus 6 Protonen, 6 Neutronen und 6 Elektronen. Wieder die 666.

Wenn wir uns die Sexualität anschauen, stellen wir fest, dass sie auf dem lateinischen Wort für Geschlecht (Sexus) basiert, in dem das lateinische Wort für 6 drinsteckt: Sex! Wir wollen also durch den Sex zum früheren 6-dimensionalen Menschen unter Jupiter zurück.

Zwei Geschlechter, also ein Mann 6 und eine Frau 6 kehren linksdrehend jedoch nicht zurück, sondern zeugen ein Kind 6. Wir haben also auch auf der Ebene des Sex immer wieder die 6 und schaffen so in der Paarbeziehung auch wieder die 666.

Zucker, genau genommen Glukose, des Menschen liebste Droge besteht übrigens aus 6 Kohlenstoffatomen, 6 Wasserstoffatomen und 6 Hydroxidionen. Auch wieder die 666. Ganz gleich, auf welcher Ebene, der Mensch macht sich also immer wieder zum Sklaven.

Und warum ist das so? In den Kapiteln zu „Trauma & die 5 Sonnen“ hatten wir bereits erfahren, dass Trauma uns fragmentiert. Und diese Fragmentierung ist schmerzhaft. So schmerzhaft, dass die meisten Menschen sie ohne Betäubung nicht ertragen können.

Die inneren Widersprüchlichkeiten im linksdrehenden Menschen auszuhalten, ist kaum möglich, wenn wir genau hinschauen. Deswegen wählen wir die Betäubung. Den D+U+M=M – Zustand, also. Wir wollen nicht bemerken, was uns wirklich quält.

Deswegen lassen wir uns so gern von außen ablenken! „Wähle diese Partei!“ – „Kauf dieses Produkt!“ – All diese Ablenkungen lassen uns nicht länger darüber nachdenken, warum wir innen drin so zerrissen sind.

Und da wir gar nicht wissen sollen, wie traumatisiert und dadurch fragmentiert wir sind, wird uns jede Manipulation als „Akt unseres freien Willens“ verkauft, den wir in Wirklichkeit in diesem Zustand überhaupt nicht haben. Aber der Manipulator schmeichelt uns und redet uns ein, seine Partei zu wählen oder sein Produkt zu kaufen, sei nun Ausdruck unseres freien Willens.

Der Irrtum könnte nicht größer sein. Gurdjieff brachte ihn wie folgt auf den Punkt:

„Der Mensch hat kein individuelles Ich. Aber er beinhaltet stattdessen Hunderte, ja sogar Tausende getrennter kleiner „Ichs", die sich oftmals untereinander völlig unbekannt sind, die niemals in Kontakt miteinander kommen, oder, die sich im Gegenteil feindselig gegenüberstehen, einander ausschließen und miteinander nichts anzufangen wissen. Jede Minute, jeden Augenblick, sagt oder denkt der Mensch dennoch „Ich". Und jedes Mal ist sein Ich verschieden. Eben war es noch ein Gedanke, jetzt ist es ein Wunsch, dann eine Empfindung, jetzt ein weiterer Gedanke, endlos, immer so weiter. Der Mensch ist eine Vielzahl. Des Menschen Name ist Legion."

In diesem innerlich fragmentierten Zustand sind wir also völlig machtlos und nur daran interessiert, vermeintliche Grundbedürfnisse zu befriedigen, wie es auch der indische Yogi Paramahansa Yogananda betonte:

„Millionen von Menschen analysieren nie sich selbst. Sie kümmern sich nur um Frühstück, Mittagessen, Abendessen, Arbeit, Schlaf und verschiedene Unterhaltungsmöglichkeiten. Ihr Verstand ist ein mechanisches Produkt, das in der Fabrik „Außenwelt" hergestellt wird.

Sie wissen nicht, was und warum sie suchen, sie verstehen nicht, warum sie niemals volles Glück und dauerhafte Zufriedenheit erreichen.

Ohne Selbstbeobachtung, ohne Selbstanalyse, bleibt der Mensch ein von außen beeinflussbarer Roboter. Eine genaue und bewusste Analyse des eigenen Verstandes, ist die größte Kunst der Selbstentwicklung."

Wenn wir nun also sehen, wie sehr wir innerlich fragmentiert sind und wie schmerzhaft dieser Zustand für uns ist, wieso unternehmen die meisten Menschen so wenig Anstrengung, um diesen Zustand zu ändern?

Wieso interessieren sich so wenige Menschen für ihre Anthrosynthese?

ANTHROSYNTHESE – DIE ARBEIT DER SELBSTWERDUNG

WARUM INTERESSIEREN SICH SO WENIGE MENSCHEN FÜR IHRE SELBSTWERDUNG?

In vorhergehenden Kapiteln hatte ich bereits einige Punkte dazu angedeutet, warum die wenigsten Menschen auf diesem Planeten an ihrer Individuation interessiert sind. Warum lehnen so viele Menschen allein den Gedanken bereits ab, Anthrosynthese könne wichtig in ihrem Leben sein?

„Alles hängt von allem anderen ab, alles ist verbunden, nichts ist getrennt. Daher geht alles den einzigen Weg, den es gehen kann. Wenn die Leute anders wären, wäre alles anders. Sie sind aber, was sie sind, also ist alles, wie es ist." Gurdjieff

Diese Sätze von Gurdjieff zu kontemplieren, finde ich in dem Zusammenhang sehr nützlich! „Wenn die Leute anders wären, wäre alles anders." Genau. „Sie sind aber, was sie sind, also ist alles, wie es ist." Es hilft also nicht, sich über die Menschen und ihr Desinteresse zu beklagen.

Adenauer sagte ja einst: „Wir leben alle unter dem gleichen Himmel, haben aber nicht alle denselben Horizont." Wenn jemand also schlicht innerlich nicht an dem Punkt ist, sich für Selbstwerdung zu interessieren, nützt es nichts, ihn oder sie darauf hinzuweisen.

In diesem Moment, wo ich dieses Buch gerade schreibe, also im April 2020 habe ich gerade mal die bereits mehrfach erwähnten Bewusstseinszustände auf der Erde in der Menschheit gemessen. Die genaue Anleitung dazu hatte ich in meinem Buch „L+A+S=S los & L+E+B=E!" erklärt.

Die aktuelle Verteilung ist: 35% D+U+M=M Zustand, 29% H+A+S=S extrovertiert, 31% H+A+S=S introvertiert und 5%

L+E+B=E!. Den L+E+B=E! – Wert finde ich durchaus erfreulich, denn er war zwischenzeitlich auf 3% abgesackt.

Ich führe das auf die aktuelle Lage zurück, dass mit dem weltweiten Corona-Shutdown einige Menschen die Zeit nutzen, um mehr spirituelle Übungen zu praktizieren. Bei meinen Klienten bekomme ich das aktuell auch mit, dass sie sich mehr Zeit als sonst für ihre Individuation nehmen.

Allerdings bräuchten wir, um tatsächlich einen signifikanten Wandel auf der Erde in Richtung Bewusstwerdung zu erreichen, mindestens 8%, besser 9 oder 10% Menschen, die konstant in Kontakt mit L+E+B=E!, also mit unserem natürlichen Zustand sind.

Ein solcher Bewusstseinssprung ist aktuell leider nicht erkennbar. Seit Jahren beobachte ich das Verhältnis der vier genannten Bewusstseinsprinzipien in der Weltbevölkerung. Und ein solcher Wert für L+E+B=E! war nie auch nur annähernd drin.

Wir sind also eingeladen, anzuerkennen, dass auch jetzt noch 95% der Weltbevölkerung sich nicht für Bewusstwerdung interessieren. Das mögen wir bedauern. Tatsächlich gilt es jedoch, sich mit der Realität anzufreunden.

Wie Byron Katie es formulierte: „Woran siehst Du, dass etwas so sein sollte? Es ist so.“ Sie fügte noch hinzu: „Wenn Du Dich mit der Realität rumstreitest, verlierst Du. Aber nur immer.“ Mit der vorgefundenen Realität in Einklang zu kommen, schafft innerlich Raum.

Wenn wir sehen, dass die Menschen so sind, wie sie sind und wir das auch zulassen können, erkennen wir, dass sie aus bestimmten Gründen so sind. Die Masse der Menschen ist, wie sie ist, weil sie traumatisiert sind.

Trauma führt dazu, dass wir uns mehr und mehr vor dem Leben verschließen. Die meisten von uns wurden schließlich von Menschen traumatisiert, die sie lieben. Und wenn also schon die Leute, die wir lieben und denen wir vertraut haben, uns so verletzten, wie könnten wir dann dem Leben vertrauen?

Die gute Nachricht ist: Wir können es wieder lernen! Keine Verletzung muss uns den Rest unseres Lebens fertigmachen und runterziehen. Es gibt Wege, Trauma nachhaltig aufzulösen. Aber auch das erfordert Anstrengung und eigenen Einsatz.

Wir sehen also, dass ohne die Bereitschaft, sich selbst dafür einzusetzen, dass die eigenen Traumata geheilt werden, auch nichts passieren wird. Das lässt uns wieder auf die Realität zurückkommen, wie die Mehrzahl der Menschen drauf ist.

Die Mehrzahl der Menschen ist nicht bereit, ihre Traumata zu bearbeiten, weil die meisten dieser Menschen nicht mal bereit und in der Lage sind anzuerkennen, dass sie überhaupt massiv traumatisiert sind!

Natürlich kann jemand, der sein Problem nicht sehen kann, es auch nicht angehen. Das ergibt sich von selbst. Solange also die Mehrzahl der Menschen so tut, als sei alles in Ordnung, wird sich da auch nichts ändern.

Viele reden sich die Dinge im Nachhinein ja auch schön. Das ging mir selbst viele Jahre lang so. Zwar fiel mir auf, dass ich Symptome einer Traumatisierung zeigte, aber es schien nach der Biografie, also nach dem, was mir meine Eltern über meine Kindheit erzählt hatten, nichts Dramatisches vorgefallen zu sein.

Erst, als ich anfing, mehr auf meinen Körper und meine Gefühle zu achten, als auf das, was andere Menschen mir über mich erzählt haben, begann ich der Sache auf den Grund zu gehen und konnte so auch anfangen, meine eigenen Traumata Stück für Stück aufzulösen.

Leider hören die meisten Menschen die meiste Zeit nicht auf sich selbst. Sie hören auf ihr Umfeld, um dort nur ja nicht als merkwürdig zu gelten. Sie hören also auf ihre Familie, ihre Nachbarn, ihre Kollegen oder ihren Arzt und praktisch nie auf sich selbst.

Wir haben also aktuell addiert 60% H+A+S=S. Das zumindest deutet an, dass eine Veränderung in der Luft liegt. 1958 hatten wir z.B. einen Wert von 74% im D+U+M=M Zustand. An einem solchen Moment ändert sich in der Gesellschaft nichts.

Aber wenn, wie jetzt in der Menschheit die addierten H+A+S=S Werte bei über 50% liegen, ist eine Veränderung wahrscheinlich, was ja auch astrologisch bei der im Dezember 2020 kommenden Jupiter-Saturn-Konjunktion in der Luft liegt.

Wir können also zusammenfassen, dass die Menschen so sind, wie sie sind, bis sie sich ändern. Und das passiert nicht zufällig, sondern immer dann, wenn die planetaren Konstellationen genau darauf hinweisen.

Es geht also immer nur darum, den eigenen Weg zu gehen und nicht zu erwarten, andere Menschen mögen sich ändern, damit wir uns wohler fühlen. Tatsächlich sollte unser eigenes Unwohlsein uns antreiben, noch intensiver an uns selbst zu arbeiten.

Wieso ich selbst der einzige Mensch bin, an dem ich arbeiten kann

Im letzten Kapitel wies ich bereits auf die Früchte der eigenen Anstrengungen hin. In diesem Kapitel möchte ich klarstellen, dass es auch überhaupt keinen anderen Weg gibt, um die Anthrosynthese zu verwirklichen!

Niemand kann uns Erwachen oder Bewusstseinsentwicklung schenken. Auch wenn uns das tausendfach im New Age suggeriert wird, wir könnten durch angebliche „kollektive Bewusstseinssprünge" auf einmal alle erleuchtet werden: Das ist nicht wahr!

Es wäre ja eine furchtbare, geradezu faschistoide Einmischung in den freien Willen und die Selbstbestimmung der Wesen im Universum, wenn jemand einen anderen zu dessen vermeintlichem Glück zwingen wollte.

Schauen wir uns bitte einfach mal gemeinsam an, was dabei passieren würde. Nehmen wir an, es gäbe nun ein neues Ministerium für Glück und Erleuchtung. Nennen wir es der Einfachheit halber Minileucht.

Im Minileucht sitzen nun also Leute, die beschlossen haben, es sei ein Akt der Mitmenschlichkeit, diejenigen, die nicht von selbst erwachen, durch Vorschriften, Gesetze und deren Anwendung im Alltag zur Erleuchtung zu bringen.

Was würde mit den Menschen passieren, wenn man sie durch das vom Minileucht als sicher zertifizierte Verfahren des „Gotteshelms" zur Erleuchtung abordnen würde? Den Begriff habe ich übrigens gewählt, weil der Kognitionswissenschaftler Michael Persinger dereinst in den 80ern tatsächlich mit einem Gerät dieses Namens experimentiert hatte.

Nehmen wir also mal an, es gäbe nun eine modifizierte Form dieses „Gotteshelms", den das Minileucht jetzt Menschen zwangsweise aufsetzt, die in etwa dem Bewusstseinsstand des narzisstisch auf Konsum geprägten Durchschnittsmenschen entsprechen.

Was würde mit diesen Menschen passieren? Wären sie auf einmal selbstlose Erleuchtete? Nein, ganz sicher nicht! Sie würden durchdrehen, denn man kann Angst, die hinter Konsumzwang steckt nicht mit Gewalt in Liebe verwandeln!

Es wäre also eine Form der Folter, die hier eingesetzt würde. Wir kennen den Einsatz von Stromstößen als Folter aus Orwells „1984", um „Liebe zum Großen Bruder" zu erzwingen. Winston Smith, die Hauptfigur des Romans, die solches erleiden muss, ist hinterher psychisch zerstört.

Was wäre nun aber, wenn es sich nicht um gezielte Folter durch Menschen, sondern stattdessen um ein kosmisches Ereignis handeln würde? Der New Age Autor Dieter Broers suggeriert ja, dies sei gerade im Gange.

Keinerlei Anstrengung sei erforderlich. Wir könnten einfach so weitermachen wie bisher und eine numinose kosmische „Frequenzerhöhung" werden für ein „Erwachen der Menschheit" sorgen. Bei dieser postulierten „Frequenzerhöhung" kann es nur um elektromagnetische Felder gehen.

Das ist bereits mehrfach auf der Erde geschehen. Aber nicht zu unserem Wohl, sondern als Kataklysmus, als kosmische Katastrophe. Wenn also ein elektromagnetisch relevantes Ereignis auftritt, das unser Gehirn beeinflusst, hat dies fatale Konsequenzen.

Auch in diesem Fall sehen wir wieder, wie all jene, die vornehmlich unter dem Diktat der Angst leben, was ja die überwältigende Mehrheit der Bevölkerung ist, sich einer solchen elektromagnetischen Stimulation ihres Gehirns gar nicht öffnen könnten.

Ihre Gehirne würden also überladen und faktisch durchbrennen. Wir sehen solche bedauerlichen Ergebnisse bei Menschen, die durch medikamentöse oder chirurgische Folter in Psychiatrien derartige Überladungen in ihren Synapsen erfahren haben und danach entweder sterben oder kindisch unreif bleiben.

Leider versuchen auch viele spirituelle Schulen, Menschen zu ihrem Glück zu zwingen. Auch hier geht es dann um Zwang, um Strafen, um Belohnungen usw. Alles untaugliche Mittel, um spirituelles Wachstum zu erreichen. Für viele Menschen ein Feld der Retraumatisierung.

Es ist darüber hinaus völlig logisch, dass es unmöglich ist, Menschen zur Erleuchtung zu zwingen, egal ob durch Menschen oder den Kosmos induziert. Wir leben auf einem linksdrehenden Planeten in einer linksdrehenden Gesellschaft, die von Angst dominiert ist.

Erleuchtung hingegen ist eine rechtsdrehende Erfahrung, deren Entstehung auf Liebe und der Fähigkeit basiert, die Angst zu überwinden und stattdessen ins Vertrauen zu gehen. Ins Vertrauen in die Liebe.

Und genau darin liegt unsere Arbeit in der Anthrosynthese: Wir erkennen, dass wir fragmentiert sind. Wir erkennen, dass wir in unserem linksdrehenden Normalzustand in Angst leben. Wir erkennen, dass wir fragmentiert sind.

Wir erkennen, dass wir traumatisiert sind. Und wir entscheiden uns bewusst, diese Erkenntnisse in bewusste Handlungen umzusetzen, um nach und nach den Übergang aus der Angst in die Liebe zu verwirklichen!

Dies ist nur dann möglich, wenn wir immer wieder in die Liebe eintauchen. Wir beginnen dabei im Herzen. Wir fragen „Wer BIN ich?“ im Herzen und erfahren immer tiefer, dass es jenseits all der Angst eine wirkliche Identität im Menschen gibt: Die Liebe!

Und dann beginnen wir, wenn uns das anzieht, den Weg der Individuation. Wir entscheiden uns bewusst dafür, zu WERDEN, was wir SIND! Diese Entscheidung führt uns ein Stück weiter, ein Stück tiefer in die Rechtsdrehung hinein.

Es ist also wachsende eigene innere Einsicht, die Menschen auf ihrem Weg der Selbstwerdung voranbringt. Ein Weg, den wir nur selbst Schritt für Schritt gehen können, wenn eine innere Bereitschaft dazu vorhanden ist.

Dabei kann die Begleitung durch einen erfahrenen Mentor sehr hilfreich sein, denn viele während dieses Weges auftretende Phänomene sind für den linksdrehend konditionierten Geist des Menschen herausfordernd.

Hier Unterstützung zu haben, die einem Prozesse erklärt, die man gerade durchläuft, kann sehr nützlich sein, denn so kann Vertrauen in den eigenen Weg wachsen, ohne dass man aus Angst weggelaufen wäre, weil man niemanden hatte, mit dem man sich über seine Erfahrungen austauschen konnte.

Trotz der möglichen Begleitung durch einen erfahrenen Mentor gehen wir den Weg aber dennoch allein und eigenverantwortlich. Es gibt keinen Ersatz für die eigene Anstrengung. Es gibt keinen

Ersatz für das eigene Wachstum. Das kann uns niemand abnehmen.

Warum wir eingeladen sind, uns eine Seele zu verdienen

Der Weg der Befreiung hat zentral mit diesem Thema zu tun! Gurdjieff sprach ja davon, als er sagte: „Ihr seid nur Gemüse. Wenn Ihr eine Seele wollt, müsst Ihr sie Euch verdienen.“ War das nur Provokation seiner Schüler, oder steckt dahinter mehr als zunächst angenommen?

Was meinte Gurdjieff überhaupt mit dem Begriff „Seele“?

Das Wort „Seele“ ist ja weltweit in sehr unterschiedlichen Konnotationen in Gebrauch. Mit anderen Worten: Was für einen Christen Seele ist, ist für einen Juden, einen Moslem oder einen Hindu bzw. Buddhisten oder Taoisten etwas völlig anderes.

Der Glaube, man habe eine „unsterbliche Seele“, wie er im Christentum verbreitet ist, wird von den anderen Religionen nicht wirklich geteilt. Darüber hinaus wird „Seele“ auch in philosophischem Kontext verwendet, wo damit eher gemeint ist, dass etwas belebt sei.

Da Gurdjieff seine Arbeit in einem christlich mystischen Kontext sah und er ab den 20er Jahren fast nur noch mit westlich sozialisierten Menschen arbeitete, ist davon auszugehen, dass er mit seiner oben zitierten Aussage direkt auf die christliche Definition des Begriffes anspielte.

Und natürlich wollte er damit die Menschen aus ihrer Trägheit herausholen, in der die christliche Kultur aber auch das in seinen Tagen entstehende westliche New Age seit längerem feststeckt: Der Glaube, diese Seele, die man glaubt zu besitzen, nicht verlieren zu können.

Die damit verbundene Selbstzufriedenheit der Christen und New Ager grenzt schon an „des Kaisers neue Kleider“ Worüber ich hier bereits gesprochen und geschrieben hatte: https://alexandergottwald.com/1928/ich-habe-mich-ausgezogen-wir-sind-nackt-bis-wir-es-aendern/

Da schrieb ich einleitend: „Kennst Du das Märchen von des Kaisers neuen Kleidern? Heute möchte ich Dir zeigen, warum nicht nur der Kaiser nackt ist! Auch wir sind nackt, bis wir es ändern!“

Hier möchte ich nun allerdings wesentlich tiefer einsteigen, denn da Du bis hierher gelesen hast, gehe ich davon aus, dass Dich auch die Hintergründe noch weiter interessieren, die in diesem Buch bisher bereits angesprochen wurden.

Wir haben ja bereits über die Kataklysmen gesprochen, die zur zunehmenden Degenerierung des Menschen geführt haben. Und wir haben auch mehr über die Dimensionen erfahren, die im Laufe dieses Prozesses ausgebildet wurden.

Darin liegt nun auch der Schlüssel für ein tieferes Verständnis dessen, was es damit auf sich hat, dass wir heute dazu aufgerufen sind, uns „eine Seele zu verdienen". Es geht darum, dass wir erkennen, wie sich unser Wesen seit Anbeginn unter Neptun als erster Sonne bis heute verändert hat!

Wir hatten im Kapitel „Das erste Äon" erfahren, dass es 12 ursprüngliche erste Menschen gab. Dies waren die Träger der 12 ungeteilten Seelen der Menschen. Heute sind wir bei einer 12-fachen Fragmentierung angelangt. Wir leben also in einer Welt, in der wir von allen diesen 12 ursprünglichen Seelen der Menschen kleine Fragmente in uns tragen.

Diese Fragmente und ihre Verteilung bzw. Betonung können wir über den Tierkreis und das Häusersystem in unserem Geburtshoroskop erkennen. Wir sind also eingeladen, die Scherben aufzusammeln und uns daran zu machen, sie wieder zusammenzuflicken.

Ich nenne diesen Prozess Individuation oder auch Selbstwerdung. In Japan gibt es eine spezielle Form der Handwerkskunst, in der zerbrochene Gefäße mit Gold wieder „geheilt" werden. Diese Kunst heißt Kintsugi, was auf Deutsch in etwa „Goldflicken" bedeutet.

Aus meiner Sicht ist die Arbeit an der eigenen Individuation durchaus als „Goldflicken" zu bezeichnen, denn wir widmen uns hier einem heiligen Werk. Und es geht dabei nicht darum, dass es hinterher hübsch aussehen soll.

Nein, es geht in erster Linie darum, dass wir authentisch sind. Dass wir verstehen, wo wir herkommen und uns an die Arbeit machen, „uns eine Seele zu verdienen". Dabei geht es nämlich letztlich ums „Goldflicken".

Wenn wir erkennen, wie fragmentiert wir sind, können wir sehen, dass wir auch keine konstante Aufmerksamkeit zur Verfügung haben. Ständig geht die Aufmerksamkeit irgendwo anders hin. Nur nicht darauf, uns zu erinnern, an der Reparatur unseres Gefäßes zu arbeiten.

Es geht also hier wieder um das, wovon ich bereits im Kapitel zuvor geschrieben hatte: Ich erkenne an, dass es schmerzhaft ist, auf einem Gefängnisplaneten zu sein. Ich versuche auch nicht mehr, das zu relativieren oder mir schönzureden. Und ich versuche erst recht nicht mehr, das zu leugnen.

Wenn ich also nun diesen Scherbenhaufen sehe, der das Ausgangsmaterial für mein Opus Magnum, für mein großes Werk darstellt, werde ich wahrscheinlich von einer Fülle von Gedanken, Gefühlen, Empfindungen und Instinkten überflutet.

In der Summe laufen sie darauf hinaus: „Bloß schnell weg hier!" Wir fühlen uns entmutigt, wahrscheinlich auch peinlich berührt oder gar beschämt. Und als Ergebnis wollen wir nun am liebsten schnell weglaufen.

Mach Dir an der Stelle bitte bewusst, dass Du, wenn Du vor diesem Scherbenhaufen sitzt, tatsächlich bereits einen Blick hinter den Schleier der Illusion geworfen hast. Du hast erkannt, dass es eine Aufgabe im Leben gibt. Und Du hast erkannt, dass Du sie bis heute nicht begonnen hast.

Das macht nichts. Bisher wusstest Du noch nicht mal etwas von dieser Aufgabe. Du hast geschlafen. Aber jetzt weißt Du es. Und daher kannst Du Dich jetzt entscheiden. Wirst Du Dich abwenden und so tun, als habe dieser Scherbenhaufen nichts mit Dir zu tun?

Oder wirst Du Dich Dir und Deiner Selbstwerdung zuwenden? Wirst Du beginnen, zunächst vielleicht noch etwas zögerlich, die Scherben zu untersuchen? Wirst Du Dich der Aufgabe und Herausforderung stellen, Dir eine Seele zu verdienen?

Im Kapitel „Vor dem Beginn" hatte ich bereits angedeutet, was auf uns zukommt: Wir sind eingeladen, drei Körper zu erschaffen. Wir beginnen dabei mit dem Astralkörper. Diesen Körper erschaffen wir aus unserem Denken und Fühlen in Herz und Solarplexus.

Ja, wir lernen, mit unserem Herzen zu denken. Eine wichtige Fähigkeit, die so vielen Menschen in der heutigen Zeit völlig abhandengekommen ist. Wir lernen schließlich alle, der Kopf sei zum Denken da, nicht wahr? Aber wem dient das?

Der Kopf ist linksdrehend der Bereich der Fremdbestimmung. Wenn wir also „mit dem Kopf denken", wie das von uns verlangt wird, denken wir überhaupt nicht unsere eigenen Gedanken. Wir denken fremde Gedanken und bemerken es noch nicht mal.

Mit anderen Worten: Wenn wir mit dem Kopf denken, denken wir in Wirklichkeit gar nicht. Wir werden gedacht. Und wir handeln aufgrund von Gedanken, die nicht unsere eigenen sind. Erschreckend, oder?

Wenn Menschen auf diese Weise dann z.B. dazu gebracht wurden, anderen Menschen zu schaden, sagen sie hinterher, das seien nicht sie selbst gewesen. Bei psychischen Krankheiten z.B. hören Menschen oft „Stimmen im Kopf". Gehorche ihnen nicht!

Oder Menschen befolgen äußere Anweisungen. Sie folgen Befehlen. Und hinterher sagen sie dann, das hätten sie alles gar nicht gewollt. Solange wir uns jedoch keinen Astralkörper geschaffen haben, sind wir solchen Manipulationen gegenüber immer anfällig.

Wir sind also eingeladen, zunächst das in unserem Herzen zu finden, was wir wirklich sind, indem wir den ersten von zwölf Schlüsseln der Liebe anwenden. Jeder dieser Schlüssel ist eine Frage. Diese erste lautet: „Wer BIN ich?"

Wenn wir diese Frage im Herzen stellen, kommen in der Regel unsere Gedanken entweder zur Ruhe, oder sie fangen an, durchzudrehen. Beides ist als erste Reaktion natürlich. Und beides ist nicht die Antwort. Die Antwort ist den Denker zu finden und ihn zu befreien.

Das Herz ist der Ort, an dem erwachtes Denken stattfinden kann, wenn der Denker in Dir frei ist. Dem stehen beim New Age gleich zwei selbst geschaffene Probleme entgegen: Zunächst die Weigerung überhaupt zu denken, die aus der Verdammung des Denkens herrührt.

Denken gilt in vermeintlich esoterischen oder spirituellen Kreisen ja in der Regel als verpönt. Das Fühlen wird stattdessen auf einen Sockel gehoben. Angeblich solle man fühlen. Und das am besten mit dem Herzen, das gar nicht zum Fühlen ausgelegt ist.

Da ist die Verwirrung dann komplett. Und wenn eben Denken überhaupt erlaubt ist in New Age Kreisen, dann ja nur als „Positives Denken“, was ja auch wiederum bedeutet, dass überhaupt nicht gedacht wird, weil ja mindestens die Hälfte aller Gedanken als negativ bewertet und zensiert wird.

Sich eine Seele zu verdienen, beginnt also damit, anzufangen, im erwachten oder erwachenden Herzen zu denken. Alles andere steht und fällt damit! Wir wollen uns also immer wieder daran erinnern, zu diesem Ausgangspunkt zurückzukehren und zu fragen: „Wer BIN ich?“

WARUM IST INDIVIDUATIONSARBEIT GOLDFLICKEN?

Um diese Frage in einem einzigen Satz zu beantworten: Weil es die wertvollste Beschäftigung ist, der wir uns in diesem Leben widmen können! Es ist tatsächlich wesentlich wertvoller als Gold. Es ist unbezahlbar.

Gehen wir aber nochmal zurück zur Fragmentierung des heutigen 12-dimensionalen Menschen! Häufig glauben Menschen heute, eine dieser 12 Dimensionen sei nun ihre Seele, wenn sie sich überhaupt mit dem Thema Seele beschäftigen.

Der Illusion erliegen oft auch zeitgenössische Astrologen, die dann z.B. das Zeichen Fische und das ihnen zugeordnete 12. Haus mit der Seele gleichsetzen. Nur weil etwas für den normalen Menschen etwas nebulös ist, ist es noch lange nicht „die Seele“.

Es geht also tatsächlich um die Beschäftigung mit allen 12 Dimensionen, die sich astrologisch natürlich in den 12 Tierkreiszeichen und den 12 Häusern abbilden. Wenn es also um einen ganzheitlichen Ansatz gehen soll, wenn es um Einswerdung der Fragmente gehen soll, brauchen wir alle 12 Dimensionen!

Wenn wir uns die konventionelle Psychotherapie anschauen, deren Aufgabe darin besteht, Menschen wieder für das Erwerbsleben tauglich zu machen, die darin nicht mehr funktioniert haben, sehen wir, dass auch hier linksdrehend geflickt werden soll. Leider nicht mit Gold.

Nein, hier wird dann gern mit Stacheldraht oder chemischen Präparaten geflickt, denn es geht am Ende des Tages ja nicht um die Selbstwerdung des Patienten, sondern nur darum, eine Psychotherapie erfolgreich abgeschlossen zu haben.

Viele Menschen suchen aber Hilfe bei der Psychotherapie, was ja auch verständlich ist, denn es wird uns nach Kräften eingeredet, das sei hilfreich, wenn wir Probleme hätten. Und die meisten Menschen sind so autoritätshörig, dass sie die Psychopharmaka dann einnehmen, wenn es der Psychotherapeut sagt.

Dadurch wird aber leider nichts geheilt. Es wird nur chemisch verdeckt, dass die Wunden weiterhin da sind. Wenn wir uns auf den Weg machen wollen, zu WERDEN, was wir SIND, also auf den Weg der Individuation, dann sind wir eingeladen, uns dem Schmerz der Fragmentiertheit des eigenen Wesens zu stellen.

Nur wenn wir dort im Herzen anfangen zu denken und zu fragen „Wer BIN ich?" können wir den Ariadnefaden ergreifen und uns aus dem Labyrinth der Entselbstung auf den Weg der Selbstwerdung begeben. Genau darin liegt das Gold.

Das Gold, das wir dann nutzen können, um die Teile zu einem Gefäß zusammenzuflicken. Dieses Gefäß ist unser Gral. Es handelt sich dabei nicht um die Vorstellung eines perfekten Gefäßes. Es handelt sich um ein geflicktes Gefäß. Um ein mit Gold geflicktes Gefäß.

Dieses Gefäß ist vollendet. Nicht perfekt. Perfektion ist eine faschistoide Vorstellung, die wir in der Linksdrehung finden. Das Menschenbild der Nazis war perfektionistisch, so wie sie es durch Leni Riefenstahl abbilden ließen und in ihren Lebensbornen erzeugen wollten.

Ein vollendetes Gefäß hat alles, was es zur Erfüllung seiner Bestimmung benötigt. Und genau darin liegt auch seine einzigartige Schönheit! Die Japaner nennen diese einzigartige Schönheit Wabi-Sabi. Es geht dabei um innere Vollendung und nicht um äußere Perfektion.

Die Individuationsarbeit selbst ist also das Gold, das sich in den einzigartig zusammengeflickten Fragmenten zeigt. Die täglichen Impulse, die wir setzen, um wieder und wieder in die Rechtsdrehung einzutauchen. Das ist das Gold.

Die Hingabe, die wir entwickeln, unsere traumatischen Erinnerungen aufzudecken und zu heilen, um mehr inneren Raum für unsere Selbstwerdung zu haben. Das ist das Gold. Vermutlich wird irgendein New Ager nun auch wieder auf die Idee kommen, durch die Einnahme von Gold oder das Umhängen eines Goldmedaillons diesen Prozess abkürzen oder vereinfachen zu können.

Tatsächlich kann aber die eigene Arbeit, die eigene Anstrengung für den Prozess der Individuation durch nichts ersetzt werden. Darin liegt die Schönheit des Goldflickens, um eine Seele zu erschaffen.

Was hat es nun mit den Teilen auf sich? Ich erinnere nochmal daran:

Wir hatten im Kapitel „Das erste Äon“ erfahren, dass es 12 ursprüngliche erste Menschen gab. Dies waren die Träger der 12 ungeteilten Seelen der Menschen. Heute sind wir bei einer 12-fachen Fragmentierung angelangt. Wir leben also in einer Welt, in der wir von allen diesen 12 ursprünglichen Seelen der Menschen kleine Fragmente in uns tragen.

Alle diese 12 ursprünglichen ungeteilten Seelen der Menschen wurden beim ersten Kataklysmus gespalten und sind inzwischen myriadenfach fragmentiert. Wir sind also eingeladen, in unserem Geburtshoroskop zu erkennen, welche Teile in welcher Form in uns vorliegen und auch welche Verbindungen sie mit anderen Teilen dieser ursprünglichen Urseelen eingegangen sind.

Je genauer wir das erkennen und je tiefer wir das durch unsere Anstrengungen verstehen, uns eine Seele zu erschaffen, indem wir die Position der fünf Sonnen in den Häusern und damit auch in unseren Energiezentren begreifen, desto mehr Gold kommt hier zum Vorschein.

Wenn wir dann anfangen zu verstehen wie die Zentren über die Herrscher der Zeichen miteinander durch energetische Verbindungen untereinander verwoben sind und wir diese Verbindungen durch tägliche Praxis bewusst vertiefen, wird noch mehr Gold in unserem Wesen sichtbar.

Wir sehen also, dass es um sehr konkrete praktische Arbeit geht, die wir Tag für Tag ausüben. Und dass es hierbei um Arbeit geht, über die die überwältigende Mehrheit der Menschen vermutlich bestenfalls belustigt den Kopf schüttelt, während sie sich mit ernsthafter Miene vor dem Fernseher niederlässt und die Tagesschau auf sich wirken lässt.

Aber genau diese Arbeit zeigt die Wirkung. „Mein Reich ist nicht von dieser Welt“, sagte mal jemand. Es geht also bei der Individuationsarbeit immer darum „in der Welt aber nicht von dieser Welt“ zu sein. Diese Welt ist, wie wir uns erinnern, ein linksdrehender Gefängnisplanet.

Die letzten Jahrzehnte hier haben sicher in Europa immer wieder dazu beigetragen, das zu vergessen und sich vom Konsum, ganz gleich welcher Art, ablenken und unterhalten zu lassen. Aber die kommenden Jahrzehnte mit dem neuen Saturn-Pluto-Zyklus ab

2020 bis 2053 werden sicher nicht so lässig wie die Jahre von 1982 bis heute.

Wir sind eingeladen, uns wesentlichen Handlungen zu widmen, die dem Lebendigen dienen. Und die wesentlichste Handlung, die dem Lebendigen dient, ist an der eigenen Individuation zu arbeiten. Ich schreibe das in dem Bewusstsein, dass die meisten Menschen das nicht begreifen.

Es geht also um diejenigen meiner Leser, die eine Resonanz damit haben, wenn sie vom Goldflicken ihrer Seele lesen. Es geht um diejenigen, die sich und ihre Existenz hier auf dieser Erde ernst nehmen. Damit ist nämlich ein Geschenk verbunden, die „Gnade der menschlichen Geburt“, wie es die Buddhisten nennen.

Das scheint auf den ersten Blick ein Paradoxon zu sein, wenn Buddha sagte: „Leben ist Leiden“ zugleich von der „Gnade der menschlichen Geburt“ zu sprechen, oder? Tatsächlich meinte Buddha die linksdrehende unbewusste Existenz, als er sagte „Leben ist Leiden“.

Und die Gnade der menschlichen Geburt liegt darin, hier die einzigartige Chance zu erhalten, die fragmentierten Teile der alten Urseelen zu einer neuen Seele zusammenzusetzen, sie auf dem Weg der Selbstwerdung mit Gold zu flicken!

Wenn wir uns also „eine Seele verdienen“ wollen, beginnen wir beim Astralkörper. Wir beginnen beim Erwachen im Herzen in der 8. Dimension. Hier, in dem was Heim den Informationsraum nannte, stellen wir die Frage „Wer BIN ich?“ und erfahren eine fundamentale Umkehr.

Das, was in Religionen als Erweckungs-, Erleuchtungs- oder Erlösungserlebnis bezeichnet wird, ist in Wirklichkeit immer ein Wechsel von der Links- zur Rechtsdrehung. Dieser Wechsel muss zu Lebzeiten stattfinden, damit er sich manifestieren kann.

Wir dürfen nicht auf religiöse Versprechen von Paradies, Himmel oder Nirvana reinfallen, die diese Erfahrungen auf das Jenseits, also die Zeit nach dem Tod verschieben wollen. In diesem Versuch ist die täuschende Natur aller Religionen zu erkennen.

Wenn wir also einen ersten Geschmack von Erwachen im Herzen, in der 8. Dimension erfahren haben, geht es darum, dieses Erwachen nun zu inkarnieren. Hier beginnt nun bereits die Arbeit des Goldflickens. Hier beginnt unsere Individuation.

In der 7. Dimension lernen wir im Herzen mental zu differenzieren, also das Schwert der Unterscheidung anzuwenden, von dem Jesus sprach als er sagte: „Ich bin nicht gekommen, Frieden zu bringen, sondern das Schwert."

Wobei es hier nicht um ein physisches Schwert geht, das zu schwingen wäre. Nein, das ist ein grobes Missverständnis, das sicher eine Menge der Religionskriege zufolge hatte, die das Christentum auf dem Gewissen hat.

Das Schwert gibt es in diesem Kontext nur bei Matthäus. „Meint ihr, ich sei gekommen, um Frieden auf die Erde zu bringen? Nein, sage ich euch, nicht Frieden, sondern Spaltung" heißt es stattdessen bei Lukas 12, 51. Es geht also um die Differenzierung.

Wenn wir die Wahrheit von „Wer BIN ich?" in der 8. Dimension erfahren haben, geht es in der 7. Dimension um die Differenzierung: Was ist Wahrheit und was nicht?

Um dann den Astralkörper zu vollenden, geht es dann aus dem Informationsraum in den Strukturraum der Dimensionen 6 und 5, also im Menschen in den Solarplexus. Hier beginnen wir, die Gedanken des erwachten Herzens in ein gefühltes Gewebe umzusetzen.

Die Gedanken des Herzens müssen sich im Fühlen des Solarplexus so sehr verdichten, dass sie danach dem physischen Körper, dem Körper des Weges, in der Lage sind, eine Richtung zu geben. Deswegen ist Fühlen ebenso wichtig wie Denken.

Aber eben an der richtigen Stelle! Und in der richtigen Reihenfolge. Zuerst kommt das Denken im Herzen. Dann kommt das Fühlen. Diese Arbeit erzeugt das Gold, das wir zum Goldflicken für unseren Astralkörper verwenden!

Individuation ist mit dem Astralkörper nicht abgeschlossen!

Tatsächlich wird die Individuation nach der Schaffung des Astralkörpers richtig herausgefordert, denn jetzt gilt es, sie auf die Erde zu bringen! Und da werden wir mit unserem angeborenen Drang konfrontiert, zur Herde dazuzugehören.

„Willst du das Leben leicht haben? So bleibe immer bei der Herde und vergiss dich über der Herde", schrieb einst schon Friedrich Nietzsche. Es gibt also einen Drang, den wir in der 4. Dimension empfinden, zur Herde dazugehören zu wollen.

Dies ist ein linksdrehender Überlebensmechanismus. Und auf diesen stoßen wir, wenn wir nun den in den Dimensionen 8-5 rechtsdrehend erworbenen Astralkörper weiter in Bezug auf seine Verwirklichung hin verdichten wollen.

Nietzsche führte dann weiter aus: „Älter ist an der Herde die Lust, als die Lust am Ich: und solange das gute Gewissen Herde heißt, sagt nur das schlechte Gewissen: Ich." Wir gehen also mit zittrigen Knien und schlechtem Gewissen diese Schritte in die Selbstwerdung, die kaum ein Mensch wagt!

Wir überschreiten dabei das, was ich den Initiationspunkt nenne, die Grenze zwischen Mittlerem und Unterem Selbst. Wir verlassen dabei den Solarplexus und tauchen ein ins Sakralzentrum. Hier geht es nicht mehr um Gefühle. Hier geht es um Empfindungen.

Den Unterschied hatte ich ja zuvor schon erklärt. Erinnern wir uns nochmal: Gefühle sind z.B. Angst, Traurigkeit, Zorn oder Freude. Empfindungen hingegen sind unmittelbarer körperlich: Wir empfinden körperlichen Schmerz, wenn wir uns stoßen oder Lust, wenn jemand und streichelt.

Wenn wir nun rechtsdrehend im Solarplexus in der 5. Dimension der Liebe vertrauen, die wir zuvor im Herzen in der 8. Dimension gefunden hatten, geht es nun also darum, dieser Liebe gegenüber dem in der 4. Dimension vorgefundenen Gruppenzwang treu zu bleiben.

Wir nehmen dabei wirklich unseren Raum in der 4.Dimension ein! Einen Raum der Liebe und nicht länger einen Raum der Angst, den wir am liebsten immer wieder schnell vergessen wollen. Wir befreien unseren inneren Raum immer wieder von allem, was Angst hat, in die Liebe hinein.

Das ist die eigentliche Initiation, um die es am Initiationspunkt geht. Initiation ist also auf dem Weg der Individuation keineswegs ein bloßer Ritus, wie wir ihn von Naturvölkern oder von Berichten über Geheimlogen kennen.

Tatsächlich ist die Initiation in der Rechtsdrehung sogar genau das Gegenteil von solchen linksdrehenden Ritualen, denn bei diesen geht es ja immer darum, etwas auszuhalten oder zu machen, um in eine Gemeinschaft aufgenommen zu werden.

Hier geht es darum, sich der Liebe zu verpflichten! Wir sind eingeladen, zu dieser Liebe zu stehen, ganz gleich, was irgendjemand anderes dazu sagt! Dazu tauchen wir noch tiefer als je zuvor in die Präsenz der Liebe und des Seins ein.

Es geht hier um eine körperliche Präsenz. Das HIER & JETZT. Wenn wir in diese tieferen Gewässer des Seins eingetaucht sind, zieht uns die 3. Dimension noch tiefer. Hier geht es um bedingungslose Neugier auf das Lebendige, dem wir folgen.

Wir wollen nicht länger den schalen Ersatz, den wir linksdrehend in der falschen Persönlichkeit angeboten bekommen, den sinnlosen Konsum, die falschen Freunde, die Sklavenjobs, bei denen wir uns verkaufen. Wir wollen das Wahre. Das Lebendige.

In dieser dritten Dimension lernen wir auch wieder zu unterscheiden. Wir trennen das Lebendige von all dem anderen Tand, der uns nur ablenkt, aber nicht lebendig sein lässt. Und wir beginnen zu ahnen, dass dieses Lebendige noch viele weitere Schichten hat, die wir entdecken wollen.

Wir gehen also noch tiefer und kommen in der Wurzel an. Hier erforschen wir die 2. und 1. Dimension. Wir erfahren in der 2. Dimension, dass es Folgen hat, wenn wir immer tiefer gehen. Es sammelt sich etwas in uns an, das wir für unseren Weg zur Verfügung haben.

Wir gehen tiefer. Unsere Neugier auf das Lebendige verdichtet sich körperlich in unseren Zellen. Der Körper des Weges formt sich. Wir werden zu einem Werkzeug des Lebendigen, das wie ein Pfeil seiner Bestimmung entgegenfliegt.

Und in der 1. Dimension kommen wir auf den Punkt. Wir kommen körperlich auf den Punkt. Wir sind genau dort, wo wir zu sein haben, um die Konsequenzen unseres Weges zu leben. Wir weichen nicht länger aus. Wir laufen nicht mehr weg.

Wohin auch? Wir sind ja auf dem Weg, zu WERDEN, was wir SIND! Wir HABEN gefunden, was wir brauchen, um zu TUN!

So formt sich in den Dimensionen 4 bis 1 unser Körper des Weges. Dieser Körper des Weges ist die Spiegelung unseres Astralkörpers auf der physischen Ebene. Ihn zu erschaffen, ist unerlässlich, um den Weg der Selbstwerdung weitergehen zu können.

Unser Körper muss neu geformt werden, um dem großen Werk zu dienen, unserem Opus Magnum. Dabei geht es nicht darum, was wir in unserer falschen Persönlichkeit lernten, für wichtig zu halten. Nein, hier geht es um die Liebe. Um das, was wir wirklich sind.

Dafür auf der Erde zu wandeln ist unsere Sehnsucht. Dem Lebendigen Selbst zu dienen, indem wir mehr und mehr zu Ihm werden, ist der Weg. Es ist kein Weg der Beliebigkeit, wie wir ihn in der Linksdrehung kannten. Es ist der Weg unserer Bestimmung.

Und dieser Weg führt uns nun erneut an einen kritischen Punkt. Hier geht es darum, dass unsere von den Dimensionen 8 bis 1 geschaffene Liebe und Entschlossenheit uns nun in die Bewusstheit des Hohen Selbst führen! Es geht um den Aufstieg der Energie in die Dimensionen 12-9!

Wir erschaffen den Kausal- oder auch Spirituellen Körper

Dieser Aufstieg ist kein imaginärer, sondern ein körperlicher. Ein energetischer. Die Energie, auch Kundalini oder Schlangenkraft genannt, die im Wurzelbereich geschlafen hat, bis wir sie von der 8. bis in die 1. Dimension absteigend, erweckt haben, steigt in die höheren Zentren auf.

So werden uns diese höheren Zentren bewusst zugänglich. Also das Stirnzentrum und die Kehle. Natürlich sind uns diese Zentren auch linksdrehend durchaus zugänglich. Aber nur von außen. Nicht von innen. Und genau diesen inneren Zugang brauchen wir für die Selbstwerdung.

Im Stirnzentrum geht es also um Erleuchtung! „Wenn nun dein Auge einfältig ist, so wird dein ganzer Leib licht sein", heißt es bei Lukas 11:34. Ja, es geht hier um die Erfahrung von Licht im Stirnzentrum, das nicht grundlos auch als „Drittes Auge" bezeichnet wird.

Hier ist das „einfältige Auge" zu finden. Rechtsdrehend Ausdruck des Samadhi, der Erleuchtung. Linksdrehend das allsehende Auge der Fremdbestimmung. Hier lernen wir, nach und nach immer tiefer hinter die Illusion zu blicken.

Und nein, es geht hier nicht um „Hellsicht". Es geht hier nicht darum, verlorene Gegenstände aufzuspüren oder Zukunftsvisionen zu haben. Es geht hier nicht um linksdrehend ausbeutbare Prozesse. Es geht tatsächlich um Erleuchtung.

Es geht darum, die Lichtfrequenzen des Wirklichen zu erfassen. Und zu erkennen, dass Licht etwas ganz anderes ist, als uns gesagt wurde. Womit wir wieder bei Einstein sind, nicht wahr? Jeder hat schon mal von der „Lichtgeschwindigkeit" gehört, oder?

Aber was soll das eigentlich sein? Wer von uns hat darüber schon mal ernsthaft nachgedacht? Wir alle kennen diese Fragen, mit denen sie uns ablenken: „Ist Licht Teilchen oder Welle?" Alternativfragen wie diese sind immer eine Falle!

Sie dienen nur dazu, uns von der dritten Lösung abzulenken. Wenn der Versicherungsvertreter Dich fragt: „Wollen sie nun 50 oder 100 Euro monatlich sparen", soll Dich diese Frage schlicht von der Option ablenken, dass Du ihm vielleicht besser gar nicht Dein mühsam erarbeitetes Geld anvertrauen solltest.

Was, wenn also Licht etwas völlig anderes wäre, als man uns glauben machen will? Und was, wenn Licht in Wirklichkeit also weder Teilchen noch Welle ist, sondern etwas Drittes? Etwas, das wir nicht bemerken, weil wir so auf die scheinbar unausweichliche Wahl zwischen diesen beiden fixiert sind!

Wir befinden uns also in der 12. Dimension. Im Bereich des Wirklichen, das wir staunend lernen, zu erfassen. Und dass wir nun eingeladen sind, auch wieder nicht nur zu SEIN, sondern in der 11. Dimension dann auch zu WERDEN!

Wir sind eingeladen, ein weiteres Mal zu unterscheiden und das Wirkliche vom Unwirklichen zu trennen, um dem Wirklichen in uns tiefer und tiefer Raum zu geben. Nur so überwinden wir gesellschaftliche Zwänge in uns: Indem wir wirklich WERDEN.

Wir lernen also, etwas durch uns wirken zu lassen, das größer ist als unsere Persönlichkeit, größer als unsere Eigeninteressen. Das glauben wir übrigens auch, wenn wir uns zu Werkzeugen der Fremdbestimmung in der Linksdrehung machen lassen.

Genau deswegen ist es in dieser 11. Dimension des Lichts so entscheidend, uns vom Licht nicht verblenden zu lassen, sondern es zu nutzen, um zu erkennen: „Sei Dir selbst ein Licht", wird Buddha zitiert. Genau darum geht es.

Es geht also hier auch um ein fundamentales Verständnis dessen, was der Lichtkörper ist, denn dieser dritte Körper, den wir hier erschaffen, ist zum Teil aus Licht gewoben. Ein Lichtkörper also.

Um diesem Wirklichen, das wir im Stirnzentrum gefunden haben und das wir bereit sind, auch zu WERDEN nun noch mehr Raum in uns zu geben, steigen wir aus dem Stirnzentrum hinab in die Kehle, wo wir die Dimensionen des alles durchdringenden Äthers betreten.

Wir kommen in die Dimensionen 10 und 9, die das Kehlzentrum bestimmen. Hier geht es in der 10. Dimension darum, dem Lebendigen zu lauschen. Wir lauschen darauf, was das Wirkliche durch uns verwirklichen will.

„...nicht mein, sondern dein Wille geschehe“, lesen wir bei Lukas 22,42. Hier erfahren wir, worum es dabei wirklich geht. Wir öffnen uns einem höheren Willen und erfahren so erstmals in unserem Leben, was Wille tatsächlich für eine Kraft beinhaltet.

Leider wird diese Kraft so häufig missverstanden. Etwa bei Aleister Crowley, der als wohl berühmtester Schwarzmagier des 20. Jahrhunderts angesehen wird. Er schrieb bekanntlich: „Tue was du willst, sei das ganze Gesetz. Liebe ist das Gesetz, Liebe unter Willen.“

Die Liebe dem Willen unterwerfen zu wollen, zeigt die linksdrehende Essenz seiner Lehre. Und wenn der Wille linksdrehend eingesetzt wird, landen wir immer und immer wieder beim extrovertierten H+A+S=S Zustand. Beim Hochmut, bei der Aggression und der Selbstüberhöhung.

Und wie heißt es so treffend bei Matthäus 23:12: „Wer aber sich selbst erhöht, der wird erniedrigt werden, und wer sich selbst erniedrigt, der wird erhöht werden.“ Den tiefen Fall können wir bei Crowley gut erkennen. Am besten, ohne uns dabei selbst zu erhöhen. Einfach nur hinschauen!

Was erfahren wir übrigens im zweiten Teil des Satzes? Es geht dabei nicht um die kirchlich verordneten äußerlichen Bußübungen, sondern um den Abstieg von der 8. in die 1. Dimension! Hier „erniedrigen“ wir uns. Wir steigen ab, um dann in die 12. Dimension aufzusteigen!

Also: „wer sich selbst erniedrigt, der wird erhöht werden!“

Wenn wir nun in der 10. Dimension gelauscht haben, durchdringt uns der Äther mehr und mehr. Noch ein Thema, das Einstein aus der Realität des Kosmos verbannt hat. Viele heutige New Ager wissen gar nicht, dass sie von einem realen konkreten Element sprechen, wenn sie vom Äther reden.

Einstein behauptete einst, aus Gründen, die hier zu benennen, zu weit führen würde, dass es den physikalischen Äther nicht gebe. Damit erfand er einen toten leeren Raum, was aber auch nur schlüssig ist, denn ein Raum, in dem es keine elektrischen Plasmaverbindungen gibt, die sogenannten Birkelandströme, ein solcher Raum braucht auch keinen Äther mehr als Träger des Plasmas.

Mit Licht und Äther meine ich jedenfalls ganz konkrete physikalische Phänomene. Und in der 9. Dimension eröffnet sich uns nun der Bereich des Wissens des Lebendigen. Dieser Bereich, den Faust vergeblich gesucht hatte, als Goethe ihn träumen ließ: „Schau alle Wirkungskraft und Samen und tu nicht mehr in Worten kramen."

Unser Kausalkörper besteht also aus Licht und Äther. Dieser Spirituelle Körper ist der Träger des Wirklichen und seines durch uns wirkenden Willens und Wissens. Auf diese Weise werden wir zu einem dreifachen Werkzeug der Selbstwerdung.

Der Kreis der Individuation schließt sich nun von der 9. wieder hinab in die 8. Dimension, wieder ins Herz. Der Kreis schließt sich, bis wir bemerken, dass er nie als Kreis angelegt war.

So wie auch die Erde nicht um die Sonne kreist, sondern sich spiralförmig um die das Galaktische Zentrum umkreisende Sonne bewegt, so bewegen auch wir uns nicht in sterilen Kreisen, sondern in lebendigen Spiralen. Tiefer und tiefer in unsere Selbstwerdung hinein!

DEINE ÜBUNGEN

Bevor Du mit irgendeiner der Übungen beginnst, lies und beachte bitte unbedingt diese Hinweise!

Keine der Übungen ist als Ersatz für psychotherapeutische oder medizinische Behandlung gedacht. Wenn Du also in einer Situation bist, dass bei Dir eine psychische Störung oder Krankheit diagnostiziert wurde, sprich zuerst mit Deinem behandelnden Arzt oder Therapeuten!

Insbesondere, wenn Du Psychopharmaka einnimmst, solltest Du mit diesen Übungen sehr vorsichtig sein und sie sofort abbrechen, falls Du spürst, dass Du in innere Bereiche kommst, denen Du Dich in Deiner momentanen Lage nicht gewachsen fühlst.

Ich sage damit nicht, Du sollst keine Risiken eingehen. Im Gegenteil, ich lade sogar dazu ein, etwas in Deinem Leben zu riskieren und halte es in diesem Zusammenhang mit der deutschen Schriftstellerin Gudrun Kropp: „Ein Mensch, der nicht mehr bereit ist, ein Risiko einzugehen, lebt in Wirklichkeit nicht mehr."

Warum habe ich also zuvor diese Warnungen ausgesprochen? Will ich Dich damit entmutigen? Nein, im Gegenteil! Ich möchte Dich aber eben auch davor warnen, diese Übungen leichtfertig anzugehen, falls Du gerade psychisch labil bist. Und das aus einem sehr einfachen Grund.

Selbst für gesunde Menschen können die Übungen unter Umständen herausfordernd sein. Auch hier gilt: Sei achtsam und geh nur so weit, wie Du das in dem Moment für Dich verantworten kannst. Es ist kein Versagen, wenn Du erst mal abbrichst und es am nächsten Tag wieder probierst.

Mir ist einfach wichtig, dass Dir bewusst ist, wie kraftvoll diese Übungen sind. Und wenn etwas kraftvoll ist, kann es auch gefährlich werden. Wie ein Messer. Du kannst damit Deinen Braten oder Dein Brot schneiden. Und Du kannst damit auch jemanden verletzen.

Hab also Respekt vor diesen Übungen hier. Sie sind nicht nur wie ein Messer. Sie sind scharf wie ein Samuraischwert. Nutze sie also weise und mit Vorsicht. Wenn Du sie beherrschst, werden sie Dir dienen, wie das Schwert dem Samurai!

Nachdem das geklärt ist, lass uns anfangen zu üben!

L+A+S=S 3.0 Teil 1

L+A+S=S steht für Loslassen in Solarplexus und Sakral + Ankommen in der Wurzel, + Selbstvertrauen in der Kehle = Sicherheit im Herzen! Der Prozess führt uns durch die sechs Hauptzentren des Menschen und zusätzlich durch die Krone.

In meinem Buch L+A+S=S los & L+E+B=E! hatte ich den L+A+S=S Prozess so erklärt, wie ich ihn damals verwendet hatte. Da ich im L+A+S=S los & L+E+B=E! Buch alle astrologischen Bezüge weggelassen hatte, kamen da auch keine Planeten als Herrscher der Zentren drin vor. Das war Version 1.0

Über die Jahre hat sich dieser Prozess durch tägliche Anwendung und intensive Arbeit mit Klienten in Einzelsessions, Kursen, Jahrestrainings und Ausbildungsgruppen laufend weiterentwickelt. So gab es zwischendrin dann eine Version 2.0, die einige Jahre in Gebrauch war.

Inzwischen jedoch ist der L+A+S=S Prozess zu einem kraftvollen dreiteiligen Prozess geworden, der zunächst in Teil 1 in die Gegenwart führt, dann in Teil 2 in die Vergangenheit und in Teil 3 in das zukünftige Potenzial des Galaktischen Menschen.

Hier im Buch möchte ich Dir Teil 1 zeigen, mit dem Du die beiden neuesten Zentren im Menschen, nämlich Sakral und Solarplexus in Dir loslassen und entspannen kannst.

Diese Übung ist also sehr nützlich, um Dich aus dem in der Regel völlig unbewussten Zugriff von „Gefängnisdirektor“ (Sonne) und „Gefängniswärter“ (Mond) mehr und mehr zu lösen.

Je öfter Du diesen Prozess übst, desto mehr wirst Du bemerken, dass Du auf der emotionalen Ebene im Solarplexus und auf der Empfindungsebene im Sakral immer entspannter und bewusster wirst.

Am Anfang kann es Dich allerdings überraschen zu bemerken, wie viel Anspannung in diesen Zentren dauernd festgehalten wird. Das kann Dich unter Umständen, je nachdem, in welcher psychischen Verfassung Du bist, auch erschrecken.

L+A+S=S 3.0 Teil 1 ist ein sehr machtvoller Prozess. Geh also achtsam und respektvoll damit und vor allem mit Dir und Deinen

Gefühlen und Empfindungen um! Falls Du merkst, dass der Prozess Dich für den Moment emotional zu sehr aufwühlt, beginne vielleicht zuerst mit der Traumaarbeit aus Band 1!

Es geht bei der Anthrosynthese nicht darum, sich brutal über Grenzen zu pushen, sondern Schritt für Schritt in Richtung der angestrebten Rechtsdrehung weiterzugehen! Dazu ist es wichtig, dass Du Dich und Deine Grenzen immer besser kennenlernst!

Die Herrscher der Zentren

Im Kapitel „Die Herrscher der Zentren des Menschen im Verlauf der 5 Sonnen bis heute" hatten wir die Herrscher der Zentren kennengelernt. Aktuell, unter der 5. Sonne der Menschheit, sind die Herrscher so zugeordnet:

- Herz – Venus
- Solarplexus – Sonne
- Sakral – Mond
- Wurzel – Mars
- Stirn – Saturn
- Kehle – Jupiter

Dazu kommt noch Merkur als Herrscher der Krone.

Wichtig ist dabei zu verstehen, dass wir immer noch dabei sind, uns an diese neue Konfiguration der Zentren unter unserer fünften Sonne zu gewöhnen. Unter keiner der vorherigen Sonnen hatten wir so viel Energie in der unteren Hälfte unseres Körpers und Energiesystems.

Wir hatten unter Uranus, Saturn und Jupiter jeweils nur ein einziges Zentrum in der unteren Hälfte unseres Körpers: Die Wurzel! Und jetzt haben wir auf einmal drei Zentren da unten! So viele verwirrende und intensive Energien. Sei achtsam, wenn wir jetzt gleich beginnen!

Angriffe

Zuvor noch ein Wort zu den beiden Zentren, auf die Teil 1 des L+A+S=S 3.0 Prozesses konzentriert ist, also auf Solarplexus und Sakral. Im Kapitel „Fragmentierung & Angriffe" beschrieb ich, wie wir als Menschen in der Linksdrehung permanent energetisch ausgebeutet werden!

Und das hängt wiederum mit der Unbewusstheit der Masse der Menschen in diesen beiden Zentren zusammen, in Solarplexus und Sakral! Und wenn wir Menschen in diesem Bereich unbewusst sind, schlafen wir.

Wenn wir schlafen, sind wir sehr leicht zu manipulieren, schrieb ich zuvor bereits. Wir sind also eingeladen, so sehr „Eins mit der Macht" zu werden, wie es die Jedi beschreiben, dass wir nicht mehr einschlafen, sondern wachsam sind.

Und auf diesem Weg helfen uns die Schlüssel der Liebe und die Transformationsschlüssel, die sich mir in den vergangenen Jahren und Jahrzehnten für meinen eigenen Weg der Anthrosynthese gezeigt haben.

Ich wende sie selbst täglich an und zeige sie meinen Klienten seit vielen Jahren, um sie als ihr Mentor auf ihrem eigenen Weg der Selbstwerdung zu unterstützen.

Lass uns also jetzt in die Praxis gehen. Ich wünsche Dir, dass Du den Prozess so tief verstehen wirst, dass Du seinen Wert in Deinem Leben begreifst und ihn tatsächlich regelmäßig, am besten täglich üben wirst!

Grundposition & Atemrichtung

Wir stellen uns für den L+A+S=S Prozess hüftbreit hin. Die Füße stehen parallel. Wenn es geht, draußen, barfuß auf der Erde, das Gesicht der Sonne zugewandt. Wenn das nicht geht, mach die Übung dort, wo Du sie durchführen kannst!

Der Atem wird immer an der Vorderseite des Körpers hinunter- und an der Rückseite des Körpers wieder nach oben geführt. Ein- und Ausatmung finden durch die Nase statt.

Loslassen

Wir gehen also durch sieben Zentren bei diesem Prozess. Wir beginnen dabei im Solarplexus! Im Solarplexus und dann auch im Sakral lassen wir los! Wir lassen den Bauch im Bereich des Solarplexus und danach auch im Sakral los.

Täusch Dich nicht! Das sind zwei verschiedene Bewegungen, die wir erleben, wenn wir Solarplexus und Sakral loslassen. Achte selbst darauf: Der Solarplexus bewegt sich vor und zurück, das Sakral im Kreis. Es handelt sich also wirklich um zwei verschiedene Bewegungen.

Geh so bewusst wie möglich in diese Übung hinein. Und führe sie so achtsam wie möglich durch!

Im Solarplexus lassen wir die Sonne los. Im Sakral den Mond. Im Kapitel „Gefängnisplanet Erde – wer sind Gefängnisdirektor und Gefängniswärter?" hatten wir mehr über den Zusammenhang zwischen Sonne, Mond und Erde gelernt.

Hier wollen wir das nun praktisch anwenden. Wir lassen also den Bauch im Bereich des Solarplexus, also der Magengegend, los und spüren, wie er sich vor und zurück bewegt. Und dabei lassen wir innerlich auch die Sonne los.

Wenn Du einigermaßen entspannt bist, wirst Du feststellen, wie aus Dir heraus eine Bewegung beginnt, die unwillkürlich abläuft. Du musst also normalerweise nichts dafür tun, dass sie beginnt. Im Solarplexus der allermeisten Menschen sitzt so viel Spannung, die sich dann einfach löst.

Es ist aber auch möglich, dass sich zunächst gar nichts bewegt. Das bedeutet nicht, dass in Dir keine Anspannung wäre. Im Gegenteil: Es bedeutet im Normalfall, dass du so viel Spannung in Dir trägst, dass Dein Körper komplett dichtgemacht hat.

Dann ist es besonders wichtig, achtsam zu sein und die Bewegung nicht zu forcieren! In der Regel steckt bei einer solchen Totalblockade ein Schock in Deinem Solarplexus, der noch nicht verarbeitet ist. Für diesen Fall empfehle ich Dir, auf jeden Fall begleitend auch die Traumaarbeit zu nutzen, die ich Dir im Kapitel „Dein Trauma konkret angehen" in Band 1 gezeigt habe.

Wenn Du möchtest, kannst Du Deinen Solarplexus und den Rippenbogen, hinter dem sich Dein Zwerchfell verbirgt, leicht mit den Handflächen beklopfen. Die Betonung liegt dabei auf „leicht". Es geht um einen sanften Impuls, nicht um Gewalt.

Vielleicht spürst Du auch zunächst nur ein leises Vibrieren in Deinem Solarplexus, das noch nicht zu einer ausladenderen Bewegung wird. Dann nimm auch diese kleine Bewegung in Deinem System an, respektiere sie, sei dankbar für diese Reaktion!

Wie leicht oder eindeutig auch immer die Reaktion in Deinem Solarplexus für den Anfang ausfällt: Geh dann mit der Aufmerksamkeit in Dein Sakral! Das Sakral befindet sich im Unterbauch, einige Zentimeter unterhalb Deines Bauchnabels.

Hier regiert der Mond. Nach dem Gefängnisdirektor stoßen wir nun also auf den Gefängniswärter. Wir lassen nun auch auf dieser Ebene los. Unter Umständen geht es hier leichter als zuvor im Solarplexus. Es kann aber auch andersrum sein.

Das hängt ganz davon ab, wie sehr und auf welcher Ebene Du traumatisiert wurdest. Eine Klientin, die intensive Gewalterfahrungen hinter sich hat, berichtete mir, dass sie sich einmal beim Loslassen im Solarplexus übergeben musste.

Das ist nicht schlimm. Wenn traumatische Erfahrungen im Solarplexus sitzen, können diese sich bei dieser Übung lösen. Wichtig ist hier nur, dass Du in einer solchen Situation nicht allein bist, es sei denn, Du wünschst Dir das ausdrücklich und kannst auch damit umgehen.

Ich selbst bin immer wieder allein durch heftige emotionale und körperliche Prozesse gegangen. Es spricht nichts dagegen, wenn Du dem gewachsen bist. Das spielt am Ende aber keine Rolle, denn es geht um Dich. Und Dich einschätzen kannst Du am besten selbst.

Nach all meinen Hinweisen in diesem Bereich sind wir nun immer noch beim Loslassen in Solarplexus und Sakral, bei Sonne und Mond. Lass dieses Loslassen soweit es Dir beim ersten Mal möglich ist, geschehen.

Wenn Du spürst, dass es für den Moment genug ist, dass Dein Loslassen in Solarplexus und Sakral also gerade nicht noch tiefer werden kann, kommen wir zum nächsten Schritt.

Ankommen

Wir atmen mit einer Einatmung hinunter in die Wurzel, wo wir beim Mars ankommen. Wir kommen tief an, aber dieses Ankommen ist kein Dauerzustand. Wir wollen uns hier nicht gemütlich einrichten. In der Bibel heißt es:

„Die Füchse haben Gruben, und die Vögel unter dem Himmel haben Nester; aber des Menschen Sohn hat nicht, da er sein Haupt hinlege." Mt 8:20

Wir atmen also gleich mit der folgenden Ausatmung aus dem Mars in der Wurzel die Wirbelsäule aktiv hinauf aus, bis die Energie über den Kopf hinaus in den Bereich der Krone zum Merkur vorgedrungen ist.

Hier ist der Bereich, in dem die aus dem Universum von oben wirkende Kraft des SEINs durch die beiden Gehirnhälften kanalisiert wird.

Wir ziehen die Energie aus der Krone dann mit einer Einatmung ins Stirnzentrum hinunter, wo wir Saturn begegnen, der hier herrscht. Wir fluten mit dieser Einatmung unsere Präfrontallappen, unsere Großhirnrinde und unser Großhirn mit Licht.

Mit der nächsten Ausatmung fluten wir Mittelhirn, Kleinhirn und Stammhirn mit Licht und kommen dann zum nächsten Schritt.

Selbstvertrauen

Wir atmen jetzt hinunter in die Kehle zum Jupiter ein. Dort werden wir mit Selbstvertrauen erfüllt. Und zwar mit jenem echten Selbstvertrauen, das aus einem tiefen Vertrauen in das Selbst, also in das Lebendige, das jetzt hier IST entsteht.

Was gewöhnlich als „Selbstvertrauen" bezeichnet wird, ist nur eine linksdrehende Karikatur des echten Selbstvertrauens. Es besteht nur aus einem aufgeblasenen verhärteten Solarplexus, der gelernt hat, sich durchzusetzen.

Dieses falsche linksdrehende „Selbstvertrauen" ist also nichts weiter als ein beschönigender Begriff für eine Fixierung im H+A+S=S extrovertiert Zustand.

Nachdem wir aber den Mut hatten, uns auf diese Spannungen in Solarplexus und Sakral einzulassen und sie loszulassen, wir angekommen sind in der Wurzel, wir mit der Energie in die Krone aufgestiegen und unser Gehirn im Kopf mit Licht geflutet haben, ist es jetzt an der Zeit:

Wir erfahren echtes Selbstvertrauen mit Jupiter in der Kehle. Und daran schließt sich dann unser nächster und letzter Schritt an:

Sicherheit

Wir atmen jetzt hinunter ins Herz zur Venus aus und erfahren darin die Sicherheit, die aus einer echten Geborgenheit im Selbst entsteht. Es geht hier also auch nicht um die falsche Sicherheit, die uns in der Linksdrehung vorgegaukelt wird.

Wir suchen hier nicht nach finanzieller Sicherheit oder nach Treueversprechen der Partnerin oder des Partners. Wir vertrauen einzig auf DAS, was wir wirklich SIND! DAS, was wir im Herzen finden, wenn wir dort die Frage stellen: „Wer BIN ich?"

So, jetzt haben wir eine Runde von Teil 1 des L+A+S=S 3.0 Prozesses beendet. Schau, ob das für den Moment genug war, oder ob sich einfach direkt die nächste Runde anschließen will. Wenn Du Deinen Solarplexus spürst, wirst Du wahrscheinlich bemerken, dass hier noch Spannung sitzt.

Also, auf geht's in die nächste Runde!

Übrigens: die sechs verschiedenen Bereiche unseres Gehirns, die wir bei Saturn in der Stirn mit Licht fluten, entsprechen den sechs Hauptzentren im Körper! Wir fluten dabei also unser ganzes Wesen mit Licht. Diese Gehirnbereiche und Zentren im Körper sind wie folgt verbunden:

- Präfrontallappen = Stirn
- Großhirnrinde = Kehle
- Großhirn = Herz
- Mittelhirn = Solarplexus
- Kleinhirn = Sakral
- Stammhirn = Wurzel

Ich wünsche Dir viel Freude und immer tiefere Erfahrungen beim Üben von Teil 1 von L+A+S=S 3.0 in Deinem Leben und bin sicher, es wird anfangen, sich zum Besseren zu wenden, wenn Dein Ziel Deine Selbstwerdung hin zur Anthrosynthese ist!

Wenn Du spürst, dass in Deinem Solarplexus und/oder in Deinem Sakral während der Übung Themen hochkommen, Du Dich also emotional überwältigt fühlst, Du vielleicht zornig wirst, oder Dich traurig oder ängstlich fühlst, kann es gut sein, dass altes Trauma angestoßen wurde.

Auch, wenn Du merkwürdige Körperempfindungen während der Übung erlebst, Dir vielleicht heiß oder kalt wird, oder Du eine Gänsehaut bekommst, kann das ein Zeichen von traumatischen Erlebnissen sein, die während der Loslassphase in Solarplexus und Sakral getriggert wurde.

In dem Fall ist es ganz sicher hilfreich, Dich dieser Ebene in Dir konkret zuzuwenden und das auszuführen, was ich Dir im Kapitel „Dein Trauma konkret angehen“ in den Übungen zu Band 1 bereits gezeigt habe!

Das Liebesbad

Das Liebesbad ist eine wunderbare Übung, um die Selbstwerdung zu vertiefen. Du kannst sie jederzeit anwenden, um Deine Individuation mit neuem rechtsdrehendem Treibstoff zu versorgen. Sie basiert auf der Übung des liebevollen Blicks.

Übe also zuerst „Der liebevolle Blick“ und komm danach zum Liebesbad, wenn Du das üben möchtest!

Einzelübung

Wenn wir die Übung allein ausführen, wie ich es zu Beginn anleite, brauchen wir dafür einen Spiegel.

Wir arbeiten hier in den Bereichen unseres Herzens, sowie des Solarplexus und bringen uns mit den Sinnen, die zu diesen beiden Zentren gehören, in Verbindung! Erinnern wir uns: Dem Herzen, als Element Luft ist der Tastsinn, also die Berührung zugeordnet. Dem Solarplexus das Sehen.

Wir setzen oder stellen uns also vor einen Spiegel, bevor wir mit diesem Prozess beginnen.

Zu Beginn schließen wir unsere Augen und legen unsere Hände auf unser Herzzentrum in der Brustmitte und fragen in der 8. Dimension im Herzen: „Wer BIN ich?“. Dabei gehen wir so tief wie möglich mit unserer Erfahrung dessen nach innen.

Wenn wir so tief es im Moment geht, innen angekommen sind, fragen wir in der 7. Dimension „Bin ich bereit, zu WERDEN, was ich BIN?“ und lassen nun unsere Handflächen sehr sanft und liebevoll unseren Körper berühren, während wir mit den Schlüsselfragen des Herzens in Verbindung bleiben.

„Wer BIN ich?“ und „Bin ich bereit, zu WERDEN, was ich BIN?“ fragen wir freundlich immer weiter, während wir durch unsere Handflächen die Liebe fließen lassen, die wir als Essenz erfahren, zu der uns die Schlüsselfragen geführt hat.

Es geht hier nur um liebevolle Zuwendung, nicht um Lust oder Erotik, die zum Unteren Selbst gehören. Bleib also in dieser schlichten, freundlichen und luftig sanften Zuwendung zu und aus Deinem Herzen.

Nimm bewusst wahr, wie Deine Hände sanft über Deinen Körper streichen und immer wieder innehalten, um die Liebe durch Deine Handflächen in die betreffende Region fließen zu lassen. Ohne Ziel, ohne Absicht. Einfach der Liebe und ihren Impulsen aus dem Herzen folgend.

Jetzt erweitern wir unsere Aufmerksamkeit auf den Solarplexus. Wir öffnen unsere Augen und schauen tief hinein, während wir zunächst die Frage der 6. Dimension „Was HABE Ich zu geben?“ stellen und fühlen, was sich uns zeigt.

Wir lassen also die Energie der Liebe weiter über unsere Hände und nun zusätzlich auch über unsere Augen fließen. Die Hände bleiben dabei entweder auf unserem Körper liegen oder wir heben sie etwa in Schulterhöhe und lassen sie zu unserem Spiegelbild und wieder zurückfließen.

Dabei schauen wir uns weiterhin tief in die Augen und stellen nun die Frage der 5. Dimension „Bin ich bereit, der Liebe zu VERTRAUEN?“, die uns im Solarplexus noch tiefer fühlen lässt, wohin unser Weg der Anthrosynthese führen wird.

Während wir weiter schauen, lassen wir unseren Blick immer weicher werden. Wir fixieren unseren Blick nicht, sondern lassen die Augen parallel und entspannt schauen. Ohne jede Absicht, etwas Bestimmtes zu erkennen, lassen wir die Liebe durch unsere Augen fließen.

Lass dieses Liebesbad so lang dauern, wie es möchte und beende es dann ganz sanft und freundlich, wenn Du spürst, dass es so weit ist. Brich es also nicht vorzeitig ab, bevor nicht alles geflossen ist, das in dem Moment fließen wollte! Halte es aber auch nicht länger fest als nötig, sonst verkrampfst Du!

Ich wünsche Dir nun viel Freude mit dem Liebesbad und empfehle Dir, es zunächst mehrere Male für Dich allein zu üben, bevor Du es als Partnerübung anwendest. Am besten wäre es, wenn der Partner es auch zunächst einige Male allein geübt hat, bevor es als Partnerübung angewendet wird.

Partnerübung

Wenn wir das Liebesbad mit einem Partner gemeinsam ausführen, brauchen wir keinen Spiegel, denn dann ist der Partner unser Gegenüber. Setzt oder stellt Euch gegenüber.

Wie Ihr den Umgang mit dem Tastsinn gestalten wollt, solltet Ihr vorher absprechen, denn das hängt davon ab, wie nah Ihr Euch seid und welche Ebene der Berührung hier wichtig ist. Es geht auch hier nicht um Erotik, sondern um liebevolle, sanfte Berührung.

Zu Beginn schließen wir auch hier unsere Augen und legen unsere Hände zunächst auf unser eigenes Herzzentrum in der Brustmitte und fragen in der 8. Dimension im Herzen: „Wer BIN ich?". Dabei gehen wir so tief wie möglich mit unserer Erfahrung dessen nach innen.

Wenn wir so tief es im Moment geht, innen angekommen sind, fragen wir in der 7. Dimension „Bin ich bereit, zu WERDEN, was ich BIN?" und lassen nun unsere Handflächen sich in Schulterhöhe erheben, während wir mit den Schlüsselfragen des Herzens in Verbindung bleiben.

Wir bringen unsere Hände gegenüber denen des Partners und spüren die Energie fließen. Dies kann mit einem gewissen Abstand von einigen Zentimetern zwischen den Händen gehen oder auch mit leichter Berührung der Handflächen.

Nun können wir uns gegenseitig fragen: „Wer BIST Du?" und „Bist Du bereit, zu WERDEN, was Du BIST?" fragen wir freundlich immer weiter, während wir durch unsere Handflächen die Liebe fließen lassen, die wir als Essenz erfahren, zu der uns die Schlüsselfragen geführt hat.

Wenn wir einander bei der Berührung noch näher sein wollen, können wir dann auch die rechte Hand auf die Brustmitte, also das Herzzentrum des Partners legen und so die Energie weiter und noch intensiver fließen lassen.

Die linke Hand legen wir dabei auf die Rechte des Partners. So erleben wir einen sehr innigen Austausch, den Du sicher nicht mit jedem beliebigen Menschen erleben willst. Deswegen schau einfach, welche Intensität Du mit welchem Partner üben möchtest und sprich das vorher ab.

Jetzt erweitern wir unsere Aufmerksamkeit auf den Solarplexus. Wir öffnen unsere Augen und schauen uns gegenseitig tief hinein, während wir zunächst die Frage der 6. Dimension „Was HABE Ich zu geben?" stellen und fühlen, was sich uns zeigt.

Wir lassen also die Energie der Liebe weiter über unsere Hände und nun zusätzlich auch über unsere Augen fließen. Die Hände bleiben dabei entweder etwa in Schulterhöhe im sanften Kontakt über die Handflächen, oder wir lassen sie wechselseitig auf den Herzzentren ruhen.

Dann können wir auch hier gegenseitig die Frage stellen: „Was HAST Du zu geben?" Oft kann eine solche Frage von außen uns erst daran erinnern, dass wir tatsächlich etwas zu geben haben, da wir uns das selbst vielleicht immer noch nicht zugetraut oder erlaubt hätten.

Dabei schauen wir uns weiterhin tief in die Augen und stellen nun innerlich die Frage der 5. Dimension „Bin ich bereit, der Liebe zu VERTRAUEN?", die uns im Solarplexus noch tiefer fühlen lässt, wohin unser Weg der Anthrosynthese führen wird.

Während wir weiter schauen, lassen wir unseren Blick immer weicher werden. Wir fixieren unseren Blick nicht, sondern lassen die Augen parallel und entspannt schauen. Ohne jede Absicht, etwas Bestimmtes zu erkennen, lassen wir die Liebe durch unsere Augen fließen.

Während wir uns so absichtslos weiter in die Augen schauen, können wir einander nun fragen: „Bist Du bereit, der Liebe zu VERTRAUEN?" und dabei wahrnehmen, ob wir der Liebe mit diesem Menschen bereit sind, zu vertrauen.

Dieser Prozess kann auf diese Weise auch ein guter Test sein, ob die beiden Menschen, die ihn miteinander ausführen, einander genug vertrauen, um dann auch noch tiefer in eine erotische Beziehung eintauchen zu wollen und sich dabei miteinander sicher zu fühlen.

Wenn da erstmal bei einem oder beiden Partnern kein „Ja" kommt, ist das nicht schlimm und bedeutet auch nicht notwendigerweise, dass diese beiden Menschen kein Paar werden sollten. Es bedeutet aber, dass da noch Dinge zu klären und zu lösen sind.

Das kann z.B. Trauma sein, auf welcher Ebene auch immer. Ganz gleich, ob es mentales, emotionales, körperliches oder sexuelles Trauma ist. So lange es nicht gelöst ist, wird es nicht möglich sein, sich tief auf eine vertrauensvolle erotische Beziehung einzulassen.

Nutze also das Liebesbad als Partnerübung nur mit Menschen, bei denen Du ein gewisses Grundvertrauen spürst, wo Du also nicht Angst hast, dass über Deine Grenzen gegangen wird, sondern dass vereinbarte Grenzen auch eingehalten werden.

Ich wünsche Dir nun viel Freude mit dem Liebesbad und erinnere Dich nochmal an meine Empfehlung von oben, es zunächst mehrere Male für Dich allein zu üben, bevor Du es dann auch als Partnerübung anwendest. Am besten wäre es, wenn der Partner es ebenfalls zunächst einige Male allein geübt hat, bevor es als Partnerübung angewendet wird.

Das Liebesbad ist sehr kraftvoll, wenn es verantwortlich, also in Antwort zu den Impulsen der Liebe in der 8. bis 5. Dimension angewendet wird! Ich wünsche Dir die Weisheit, damit so umzugehen, dass es nährend für die Rechtsdrehung und Deine Selbstwerdung wirkt.

WIE GEHT ES WEITER?

Nach diesem tiefen Eintauchen in die 12 Dimensionen des menschlichen Erfahrungsraumes und der damit verbundenen Chancen zur Anthrosynthese, also zur Menschwerdung, lädt Alexander Gottwald Dich in Band 3 von Anthrosynthese ein, die astrologischen Zusammenhänge zu entdecken und zu erfahren, wie Selbstwerdung durch das Geburtshoroskop und das Individuationstrigon in der Praxis konkret aussieht.

Auch Band 3 besticht wieder durch einen komplett einzigartigen Ansatz, erklärt Dir z.B. die Herkunft des Tierkreises ohne mysteriöse Kulturen wie „Babylon" und bietet eine Fülle von nützlichen Werkzeugen und kraftvollen Übungen, um Dein Horoskop auf der Ebene der 3 Selbste, der 6 Zentren und der 12 Dimensionen tiefer zu erfassen, um so Deinen eigenen Weg der Individuation, also der Selbstwerdung zu vollziehen.

ANDERE BÜCHER VOM AUTOR

2012 – „Vertiefe und erweitere Dein Bewusstsein in herausfordernder Zeit“ (Print & Kindle Version bei Amazon erhältlich)

2013 – „L+A+S=S los & L+E+B=E!“ (Print & Kindle Version bei Amazon erhältlich)

2015 – „Lebe Deine Freiheit“ (Print & Kindle Version bei Amazon erhältlich)

MEHR ÜBER ALEXANDER GOTTWALD

Über Alexander und sein Wirken: alexandergottwald.com

Über die Anthrosynthese: anthrosynthe.se

Alexanders seit 2014 bestehende Website zu seinem astrologisches Forschung- und Beratungsprojekt: sternenstaubastrologie.com

L+A+S=S los & L+E+B=E! - Mehr zu dem Prozess, innerlich erfüllt und äußerlich erfolgreich zu leben, aus Alexanders Buch „L+A+S=S los & L+E+B=E!“ lass-los-und-lebe.com

Penta Freedom – Mehr zu dem Prozess, innerlich erfüllt, äußerlich erfolgreich und international frei zu leben aus seinem Buch „Lebe Deine Freiheit!“ pentafreedom.com/

Energiesworld – Alexanders 2004 gegründetes Online Projekt für Energiearbeit, Reiki, Selbst-Coaching und Selbstheilung mit über 2.100 Mitgliedern. Hier kostenlos kennen lernen: www.energiesworld.info